新 潮 文 庫

フラニーとズーイ

サリンジャー
村上春樹訳

新 潮 社 版

9903

目次

昼食の同席者に冷えたライマ・ビーンを受け取ることを強要する、一歳になるマシュー・サリンジャーに限りなく近い精神をもって、私は私の編集者にして導師にして、そして（気の毒にも）最も親しい友人にして、「ニューヨーカー」誌の守護神にして、途方もない企てを愛するものにして、多産ならざるものの保護者にして、救いがたくけばけばしきものの弁護人にして、飛び抜けて慎み深い生来の芸術家＝編集者であるウィリアム・ショーンに、このずいぶん貧相な見かけの本を受け取ってもらうことを強要する。

Franny and Zooey

J.D.Salinger

フラニーとズーイ

フラニー
Franny

土曜日の朝、空は見事に晴れ上がっていたものの、オーバーコートが必要な気候がまた戻っていた。その週はずっとトップコートで間に合っていたから、イェール大学との試合のある大事な週末まで、陽気がうまくもってくれればと誰もが望んでいたのに。そんなわけで、招待した女友だちを出迎えに来た二十数人の青年たちの中で、吹きさらしの寒いプラットフォームに出て、十時五十二分着の列車を待っているのはせいぜい六、七人というところだった。あとは暖房のきいた待合室で、二、三人かあるいは四人くらいの小グループをつくり、帽子を脱ぎ、煙草《たばこ》を吹かし、立ち話をしていた。彼らの声はほとんど例外なく、いかにも大学生らしく独断的だった。まるで若者たちの一人一人が、自分の発言の番が来るたびに、その耳障《みみざわ》りな声で、この世界を悩ませている複雑に入り組んだ何らかの問題を、さっさと苦もなく捌《さば》き、ものの見事に解決してしまいそうだった。そのような問題は、大学から遠く離れた世間の無知蒙昧《もうまい》な連中によって、幾世紀にもわたって、人の神経を逆なでするためかどうかは知れないが、ことさら手際《てぎわ》悪く取り扱われてきたのだとでも言わんばかりに。

レーン・クーテルは吹きさらしのプラットフォームに出ている、六人か七人のうちの一人で、着脱可能なウールのライナーが内側についているとおぼしき、バーバリのレインコートに身を包んでいた。もっともうちの一人とは言っても、彼らの仲間に入っているのではなさそうだ。というのはこの十分かそこら、彼はほかの学生たちとは意識して距離を置き、会話の輪から少し外れたところに立ち、「クリスチャン・サイエンス」の無料パンフレット棚に背中をもたせかけ、手袋をはめていない両手をコートのポケットに突っ込んでいたからだ。えび茶色のカシミアのマフラーを首に巻いていたが、そんなものは寒さを防ぐ足しにはまるでならなかった。彼は唐突に、おおむね無意識のうちに右手をコートのポケットから出し、マフラーの位置を直し始めたが、直し終える前に気持ちを変え、コートの内側にその手をつっこみ、上着の内ポケットから一通の手紙を取り出した。そしてすぐにそれを読み始めた。読みながら、彼の唇はじっと閉じられてはいなかった。

淡いブルーの便箋《びんせん》に書かれた――正確に言えばタイプされた――その手紙には、いじりまわされた跡がうかがえた。何度となく封筒から出し入れされ、読み返されたようだ。

今日はたしか火曜日。

こんにちは、レーン

この文章をあなたが解読できるかどうか、わたしには見当もつきません。というのは、今夜のこの寮の騒がしさといったら本当に底なしで、自分が何を考えているかさえほとんど聞き取れないくらいだから。そんなわけで、もしところどころ綴《つづ》りを間違えていたとしても、どうかどうかどうか適当に見逃してね。ちなみに、私は最近あなたの忠告に従って、できるだけ辞書を引くように心がけています。だから私の文章がもしごつごつ不自然に見えるとしたら、それはあなたのせい。ところでほんのちょっと前にあなたからのビューティフルな手紙を受け取り、あなたのことがとことん胸に迫り、心千々に乱れ、とかなんとか、とにかく週末に会えるのがすごおおく楽しみです。わたしのために「クロフト・ハウス」に宿がとれなかったということ、残念ではあるけれど、そこが暖かく害虫とかがいなければ、そしてちょくちょく（つまり四六時中ってこと）あなたに会っていられれば、そこがどこであれ、わたしはぜんぜん満足です。ここのところわたしは頭がちょっぴりおかしくなっています。あなたの手紙はすごおく素敵だった。とくにエリオットについてのくだりが。どうやらわたしはサッフォー以外の詩人たちを、誰も彼も嫌いになりつつあるようです。私は彼女の詩を、まるで気が触れたみたいにせっせと読んでいます。でもだからといって、変なことを考えないでね（訳注　サッフォーは古代ギリシャの女性詩人。同性愛者であったと言われる）。私は学期のテーマとして、彼女の作品を取り上げることになるかもしれません。もし優等学位とかを狙《ねら》う決意をし、指導教官としてついたあのとんまの許可がとれれば、ということだけど。「優美なるアドニスが、今や息絶えようとしています、アフロディーテ。どうすればいいのでしょう？　乙女たちよ、あなたの胸を打ち叩《たた》きなさい。その衣を引き裂きなさい」。これって最高だと思わない？　彼女はなにしろずっとこういう調子なの。あなたはわたしのことを愛している？　あのひどい手紙の中で、あなたはそのことについて一言も触れなかった。あなたがどうしようもなく超男性的になり寡黙《かもく》（綴りは合っているかしら？）になるとき（訳注　reticent を retiscent に間違えている）、わたしはあなたのことが嫌いになります。嫌いとかまではいかないにしても、わたしは力強い、無口な男性を体質的に受けつけないのです。あなたが力強くないというのでは決してないけれど、言わんとするところはわかるでしょう？　この辺《へん》はものすごくうるさくなってきたので、自分の考えていることが自分でもよく聞き取れないくらい。いずれにせよ、あなたのことを愛しています。だからこの手紙を、もしこの気違い屋敷《マッドハウス》で切手とかをうまく見つけられたらの話だけど、速達で出そうと思っています。少しでも早くあなたのところにこれが着くように。あなたのことを愛しているあなたのことを愛しているあなたのことを愛している。わたしたち、この十一ヶ月のうちでたった二度しか踊っていないということを、あなたはちゃんとわかっているのかしら？「ヴァンガード」であなたがずいぶん酔っていたあの夜は数えないで、ということだけど。たぶんわたしは絶望的なまでにこちこちになってしまいそう。ところで、もし今回のこれに歓迎の行列みたいなものがあったら、あなたを殺しちゃうから。土曜日に会いましょうね、わたしの素敵な人!!

愛を込めて
フラニー
キス・キス・キス・キス・キス
キス・キス・キス・キス・キス・キス

追伸・お父さんのレントゲン写真が病院から送られてきて、わたしたちはみんなほっとしました。腫瘍《しゅよう》ではあるけれど、案ずるほどのものではありませんでした。昨夜母と電話で話をしました。ちなみに母はあなたによろしくと言っていました。だから、あの金曜日の夜のことについてあなたは気をもむ必要はありません。わたしたちが入ったことを、両親は聞きつけもしなかったと思います。

追追伸・あなたに手紙を書くと、自分がとことん非知性的で、間抜けに見えてきます。どうしてかな？　それについて分析する許可をあなたに与えます。でも今週末はただとびっきり楽しもうではありませんか。つまりもしかなうことなら、すべてのものごとを（とりわけわたしのことを）頭が干からびるまで分析したりするのを、今度ばかりは止《よ》しにしようじゃありませんか。愛しています。

フランセス（キス・マーク）

レーンがこの手紙を今回半分ほど読み進んだところで、邪魔が入った。無神経に侵入された、土足で踏み込まれた、という方が近いかもしれない。相手はレイ・ソレンソンという逞《たくま》しい体軀《たいく》の青年で、「なあ、このリルケという野郎がいったい何を言いたいのか、君にはわかったか？」とレーンに尋ねてきた。レーンとソレンソンはどちらも「近代ヨーロッパ文学２５１」（四年生と大学院生のみを対象）を選択しており、月曜日の課題としてリルケの「ドゥイノの悲歌」第四歌が指定されていた。レーンはソレンソンのことをほとんど知らなかったが、彼の顔つきや態度に対して漠然と反感を持っていた。好きなタイプではない。レーンは手紙をポケットにしまい、どうだろう、うん、でもおおよそのところは理解できたと思う、と言った。「そいつは運がいいぜ」とソレンソンは言った。「まったくうらやましいよ」。その声には最小限の活力しか込められていなかった。彼がわざわざやってきてレーンに話しかけたのは、よほど退屈していたか、手持ちぶさただったからで、とくに人間らしい会話を求めていたわけではなさそうだった。「まったく、とてつもなく寒いよな」と彼は言って、ポケットから煙草の箱を取りだした。ソレンソンのキャメルのコートの襟に、薄れつつはあるが、それでも十分気になる口紅の跡があるのをレーンは目に留めた。何週間か、あるいは何ヶ月か、そこについたままになっているらしい。しかしそんなことを注意できるほど、彼はソレンソンと親しくない。更に言えば、それでどうなろうがレーンの知ったことではない。おまけに、今まさに列車が到着しようとしていた。二人とも、近づいてくる機関車の方に向けて左半身《はんみ》に体を回した。それとほとんど時を同じくして、待合室のドアが音を立てて勢いよく開き、暖かいところで待機していた学生たちが、列車を迎えるために外に出てきた。ほとんどがそれぞれの手に、火のついた煙草を少なくとも三本ずつ持っているみたいな印象を与えていた。

レーン自身は、列車がプラットフォームに入ってきたときに、煙草に火をつけた。それから、列車を出迎えるための仮免許をもらえるのがやっとだろうという多くの人々の例にもれず、顔からあらゆる表情を消し去ろうと努めた。おそらくそこにはきわめて率直に（おそらく美しくとさえ言っていいだろう）、彼がこれから迎えようとしている人に対する思いが吐露されていたはずだったのに。

　フラニーは最初に降りてきた娘たちの中にいた。ずっと遠く、プラットフォームの北端だ。レーンはすぐに彼女の姿を目にとめた。表情を隠そうと懸命に試みていたにもかかわらず、空中にさっと勢いよく上げられたその腕は、何より正直に彼の気持ちを物語っていた。フラニーはまずその腕を見つけ、それから彼の姿を認め、思い切り腕を振り返した。彼女は毛足の短いラクーンのコートを着ていた。レーンは彼女の方に足早に、しかしのんびりした顔つきで向かうとき、興奮を抑えながら自らにこう言い聞かせた。このプラットフォームで、フラニーのコートのことを本当に知っている人間は、自分一人しかいないのだと。一度、借りた車の中で半時間かそこらフラニーとキスをしたあと、彼女のコートの襟に口づけしたことを彼は覚えていた。まるでそれが彼女という人間の有機的な、心惹《ひ》かれる延長であるかのように。

「レーン！」とフラニーはいかにも嬉《うれ》しそうに彼に声をかけた。そもそも表情を顔から一掃してしまおうと考えるようなタイプではない。彼女は両腕を彼の身体《からだ》にまわし、キスした。それは駅のプラットフォームでよくあるキスだった。最初はさっと自然に出てきたものなのだが、それが終わり切らないうちに気恥ずかしくなり、うっかり額をぶっつけあったときみたいに、なんとなく居心地悪くなる。「私の手紙は届いた？」と彼女は尋ねた。それからほとんど間を置かずにこう付け加えた。「あなたって、まるで氷みたいに冷えきった顔をしてるじゃない。どうして暖かいところで待っていなかったの？　それで私の手紙は届いた？」

「どの手紙？」とレーンは尋ねた。そして彼女のスーツケースを手に取った。白い革の縁取りがついたネイビー・ブルー。半ダースほどの同じ見かけの鞄《かばん》が、列車から運び出されていた。

「まだ受け取っていない？　だって水曜日に出したのよ。もう、なんてことかしら！　わざわざ自分で郵便局まで――」

「ああ、あれなら大丈夫、届いているよ。ねえ、君の荷物はこれだけ？　その本は何だい？」

フラニーは自分の左手を見下ろした。黄緑色の布装の小さな本を持っている。「これ？　ああ、とくに何でもない」と彼女は言ってハンドバッグを開け、その中に本を突っ込んだ。そしてレーンのあとについて長いプラットフォームを抜け、タクシー乗り場まで歩いた。彼女はレーンの腕に腕をからめ、そっくりすべてとはいわずとも、会話の大部分を引き受けた。まず最初に、鞄の中にあるアイロンをかけなくてはならないドレスについて話した。ドールハウスにお似合いみたいなとっても小さくてかわいいアイロンを買ったのよ、と彼女は言った。でもそれを置き忘れてきちゃった。列車に乗っている女の子たちのうち、三人くらいしか顔見知りじゃなかった。マーサ・ファーラーとティッピー・ティベット。それから何年も前、寄宿学校時代に、エクゼター校だかどこだかで会ったことのあるエリノアなんとかという子。でもそれ以外の全員は「いかにもスミス校」タイプの女の子たちだった。二人だけは徹底的にヴァッサー校タイプで、一人は徹頭徹尾ベニントンかサラ・ローレンスっぽい感じだったけど、ベニントンかサラ・ローレンスっぽい女の子は、列車に乗っているあいだずっと洗面所に閉じこもっていたみたい。中で彫刻をつくるか、絵を描くかしてたのかもしれない。あるいはドレスの下にレオタードをはいているみたいにも見えた。レーンはかなり急ぎ足で歩きながら、「クロフト・ハウス」に宿を取れなかったことを詫《わ》びた。とても割り込む余地はなかったんだ。でも代わりにすごく感じの良い宿を見つけることができた。小さいけれどとびっきり清潔で、ほら、そういうのわかるだろう。君はきっと気に入るよ、と彼は言った。フラニーはすぐに白い下見板張りの下宿屋を頭に思い描いた。三人の初対面の女の子がひとつの部屋に押し込められる。最初に来た子がごつごつしたソファ兼用ベッドを取り、あとの二人はダブルベッドを分け合うことになる。そのマットレスたるやまさに感涙ものだ。「素敵そうね」と彼女は熱意を込めて言った。ときどき彼女は、世間の男たちが見せる手際《てぎわ》の悪さに対して——とりわけレーンのそれに対して——苛立《いらだ》ちを隠すのがひどくむずかしくなる。彼女はニューヨークの雨の夜を思い出す。劇場のはねたあと、レーンはいささか度が過ぎるとしか思えない路上の寛容精神を発揮し、その結果ディナー・ジャケットを着た厚かましい男にタクシーを横取りされてしまった。彼女はそのことをべつに気にしているわけではない。自分が男になって、降りしきる雨の中でタクシーを確保しなくてはならないなんて、考えただけで寒気がする。しかしレーンが歩道に戻って、駄目だったと告げたときの、彼が自分を見るすさまじい敵対的な目つきがフラニーには忘れられない。でも自分がそんなことやら、他のいろんな出来事に思いを馳《は》せたことに妙な罪悪感を覚え、彼女はレーンの腕に通した自分の腕に少しだけ、愛情を装《よそお》って特別な力を入れた。二人はタクシーに乗り込んだ。白い革の縁取りのあるネイビー・ブルーの鞄は、運転手とともに前の座席に置かれた。

「君の宿に鞄を置いてこよう。ただ戸口に放り出しておけばいい。それから昼飯を食べに行こう」とレーンは言った。「腹が減って死にそうだよ」。彼は前屈《まえかが》みになって運転手に行き先を告げた。
「ああ、あなたに会えて嬉しい！」、タクシーが動き出したときにフラニーはそう言った。「会えなくてすっごく淋《さび》しかった」。その言葉を口にしたとたん、それがぜんぜん本心でないことがわかった。そしてこれも罪悪感からレーンの手を握り、指を温かくぴったり彼の指に絡《から》めた。

その一時間ばかりあと、二人はまわりから比較的離れたテーブルに着いていた。ダウンタウンにある「シックラー」というレストランで、ここは主として知的にとんがった学生たちに人気のある店だ。もしここがイェールやハーヴァードであれば、デートの相手に向かっていかにもさりげなく、「モリー」や「クローニン」なんて詰まらんところだからよそうぜみたいなことを、言いそうな連中が集まるところだ。「シックラー」はあえて表するなら、街で唯一《ゆいいつ》「こんなに」（親指と人差し指の間は一インチくらい開いている）厚くないステーキが出てくる店だった。「シックラー」の売り物はカタツムリだ。「シックラー」は学生と彼の女友だちが、どちらもサラダを注文するか、あるいはどちらも注文しないか（通常はこちらだ）、二者択一を迫る店だった。サラダにはガーリックの風味がきいていたから。フラニーとレーンはどちらもマティーニを飲んでいた。最初にその飲み物が運ばれてきたとき（それは今から十分か十五分前のことだ）、レーンは自分のぶんを試しに一口味わい、それから椅子《いす》にゆっくり背をもたせかけ、室内をさっと見渡した。そのとき彼の顔に浮かんだ満足感は、ほとんど手で触れられるくらいありありとしたものだった。自分は今一点の曇りもなく見事な外見を持った娘と一緒に、正しい場所にいる（誰にも文句のつけようがあるまい、と彼は確信していたに違いない）。彼女はとび抜けて綺麗《きれい》なだけではなく――なんといってもこれが重要なのだが――お決まり定番の、カシミアのセーターにフラノのスカートという格好をしてはいない。そのようにほんの一瞬、表情に出た彼の心情を、フラニーは素早く目にとめた。そしてそれを感興をまじえることなく、あるがままに受けとめた。しかし、精神《サイキ》との長年にわたる協定に従って、そんな光景を目にしたことに、それを目ざとく感知してしまったことに、罪の意識を覚えなくてはとフラニーは心を決めた。そしてその結果、それに続くレーンの長話を熱心に傾聴する（ふりをする）という罰を、自らに宣告した。

レーンは、かれこれ十五分かそこら会話を独占し続け、それでようやく調子が出てきて、自分の口にすることにもはや誤謬《ごびゅう》はないと決めた男のしゃべり方になっていた。「つまり、いささか荒っぽく言わせてもらえばだね」と彼は話した。「彼は要するに睾丸性《テスティキュラリティー》を欠いているってことなんだ。僕の言いたいことはわかるよね?」。そしてフラニーに向けて、その理解ある聞き手に向けて、わざとらしく前屈みになっていた。自分のマティーニのグラスの両側に両腕をつき、身体を支えるような格好で。

「何が欠けているって?」とフラニーは尋ねた。口をきく前に彼女はひとつ咳払《せきばら》いをしなくてはならなかった。それまでずいぶん長いあいだ、一言も声を発していなかったからだ。

レーンは躊躇《ちゅうちょ》した。「男性らしさ《マスキュリニティー》」と彼は言った。

「最初からちゃんと聞こえていたんだけど」

「いずれにせよ、言うなれば、そいつが主題だったんだ。それこそが、僕ができるだけ精妙なかたちで明らかにしたいと考えていたことだ」、レーンは自らの話の流れから逸《そ》れないように、気をつけながら言った。「でもさ、やれやれ、僕としてはそんな試論がちゃんと評価されるだろうとは思ってもみなかった。だからそいつが戻ってきて、そこに六フィートくらいの大きさのAがついているのを見たときには、うん、まったくの話、卒倒しそうになったよ」

フラニーはもう一度咳払いをした。自分に課した「純粋な聞き手としての役目を全《まっと》うするべし」という刑期は既にしっかりつとめたはずだ。「どうして?」と彼女は尋ねた。

レーンの顔に微《かす》かではあるが、水を差されたという表情が浮かんだ。「どうしてって、何が?」

「その試論がちゃんと評価されないだろうと思ったのは、どうしてなの?」

「そのことはさっき言ったじゃないか。ずっと説明していただろう。このブルーグマンってやつは、きわめつけのフロベール信者なんだよ。というか、少なくとも僕はそう見なしていた」

「なるほど」とフラニーは言った。彼女は微笑《ほほえ》んだ。そしてマティーニを一口飲んだ。「これはおいしいわね」と彼女はグラスを見ながら言った。「二十対一みたいなきつい配合じゃなくてよかった。そっくり全部ジンだったりするようなのは、あまり好きになれない」

レーンは肯《うなず》いた。「とにかく、その問題の小論《ペーパー》は僕の部屋に置いてある。もし週末に暇があったら、君にそれを読んであげるよ」

「楽しみ。是非読んでほしい」

レーンはまた肯いた。「僕は何も、世界を震撼《しんかん》させるような、大層なものを書いたわけじゃない」、彼は椅子の中で姿勢を変えた。「でも――どう言えばいいのかな――

彼がどうして、そう神経症的なまでにmot juste（適切な言葉）に惹《ひ》かれるのかというところに僕が力点を置いたのは、悪い狙《ねら》いじゃなかったと思うよ。つまりそいつを今の時代の、僕らが知っている光に照らしてみたわけさ。精神分析だとか、そういう見え見えなやつばかりじゃなくて、あくまで適切な範囲でほどほどにってことだけどね。言ってることはわかるよな。僕はフロイトの信奉者とか、そういうんじゃぜんぜんない。でもさ、物事によっては、『そういうのはあまりにフロイト的だから』といって、敬遠して見過ごす手はないんじゃないか。つまりね、ある程度までは、こう言っちまってまったく差し支えないだろうと、僕は考えるわけさ。トルストイやドストエフスキーやシェークスピアといった、そういうほんものの連中は、そこまで苦心惨憺《さんたん》して言葉を絞り出したりとかはしなかったはずだ。連中はただ心趣くままに書いたんだよ。僕の言う意味はわかるだろう？」、そう言ってフラニーを見るレーンの顔には、期待の色が浮かんでいた。レーンの目には、彼女は純粋な熱意をもって自分の話を傾聴しているように見えたのだ。

「ねえ、あなたはそのオリーブを食べないの？」

レーンは自分のマティーニのグラスにちらりと目をやった。それからフラニーの顔に視線を戻した。「いや」と彼は冷ややかな声で言った。「食べたいのかい？」

「もしあなたがいらないのなら」とフラニーは言った。レーンの表情から、自分が場にそぐわない質問をしたことを彼女は悟った。更に具合の悪いことに、彼女は突然もうオリーブなんて食べたくなくなってしまった。どうしてそもそもそんなものをほしいなんて口にしたのか、自分でもよくわからない。でもマティーニのグラスをこちらに差し出されると、彼女としてはオリーブを受け取り、おいしそうに食べるしかない。そのあとレーンがテーブルの上に置いた煙草《たばこ》の箱から一本を取った。レーンは彼女の煙草に火をつけ、自分も一本吸った。

オリーブのおかげで会話が中断され、短い沈黙がテーブルに降りた。レーンがあえてその沈黙を破ったのは、彼が自分の話の聞かせどころを、いつまでも保留していられるような人間ではなかったからだ。「そのブルーグマンという教師は、僕がその小論を何らかのかたちで世間に発表するべきだと思っているんだ」と彼は唐突に言った。「でもどうだろうね」。それから彼は急に疲れ果てたみたいに――というよりむしろ、自分の知性の果実を貪欲《どんよく》に採り入れようとする世間の要求に消耗させられたみたいに――顔の片側を手のひらでマッサージし始めた。そして自分では意識しない無神経さで、片方の目から小さな目やにをとった。「つまりさ、フロベールみたいな作家についての評論なんて、掃いて捨てるほどあるじゃないか」。彼は少しばかり不機嫌な顔になって、しばし黙考した。「とはいえ、これまでフロベールについての真に鋭い評論があったかというと、僕にはどうしても——」

「あなたはセクション・マンみたいな話し方をしている。なんだか、実に」

「なんだって？」とレーンは抑制した静かな声で言った。

「あなたはセクション・マンそっくりの話し方をしている。ごめんなさい、でもそうなの。ほんとにそのまま」

「僕が？　それで、そのセクション・マンって、いったいどんな話し方をするんだい？」

彼が気を悪くしていることがフラニーにはわかった。どれくらい気を悪くしているかも。しかし、自責の念と攻撃心とが五分五分に混じり合ったところで、彼女は自分の頭にあることをとりあえず口に出してしまいたかった。「あなたの学校ではどうか知らないけど、私の学校では、セクション・マンというのは教授の代理をしてクラスを教える人のことなの。教授がいないとか、神経衰弱になって家に籠《こも》っているとか、あるいは歯医者の予約が入ってしまったとか、なんだかんだそういうときに。だいたいは大学院の学生がその役を務めるんだけど。とにかく、それがロシア文学の講義であれば、彼は小さいボタンダウン・シャツに、ストライプのネクタイを締めてやってきて、まずツルゲーネフを半時間くらいこき下ろすの。で、その作業が終わったら、つまりツルゲーネフをこてんぱんにのしてしまったら、あとはスタンダールなりなんなり、自分が修士号のために書いている学位論文のテーマについて話し出すの。私の大学では、英文科には十人くらいのちっぽけなセクション・マンがいて、せわしなく飛び回って、みんなのために何やかやを切々とこき下ろしているわけ。その人たちはあまりにも頭が良いので、口を開くことすらほとんどできないの。なんだか言い方が矛盾しているみたいだけど、つまりね、何か議論になっても、ただいかにも訳知り顔の、穏やかな笑みを口元に浮かべるだけで——」

「ねえ、君は今日、虫の居所が悪いみたいだぜ。いったいどうしたっていうんだ？」

フラニーは急いで煙草の灰を叩《たた》いて落とし、テーブルの灰皿を自分の側に一インチばかり引き寄せた。「ごめんなさい。悪かったわ」と彼女は言った。「今週はずっと破壊的な気分だったの。ひどいことを言った。どうかしてるみたい」

「君の手紙には、それほど破壊的な響きはなかったけどね」

フラニーは生真面目《きまじめ》な顔で肯いた。彼女はテーブルクロスの上の、ポーカーチップほどの大きさの、陽光の温かな斑点《はんてん》を見ていた。「あの手紙を書くには、ずいぶん神経を駆り立てなくちゃならなかった」と彼女は言った。

レーンはそれについて何かを言いかけたが、そこに突然ウェイターが現れ、空になったマティーニのグラスを下げた。「おかわりはどう?」とレーンはフラニーに尋ねた。

返事は得られなかった。フラニーは陽光の小さな斑点を、特別な集中心をもって見つめていた。その中に身を横たえることを考えているような顔つきで。

「フラニー」とレーンは言った。返事を待っているウェイターのために、辛抱強い声で。「マティーニのおかわりはいるのか、いらないのか?」

彼女は顔を上げた。「なんですって?」。彼女はウェイターの手の中にある空のグラスに目をやった。「ノー。イエス。どっちかわからない」

レーンはウェイターの方に目をやり、笑った。「いったいどっちなんだ?」と彼は言った。

「イエス。お願いするわ」。彼女はだいぶ頭がはっきりしてきたように見えた。

ウェイターは去って行った。彼が部屋から出て行くのをレーンは見ていた。それからフラニーに視線を戻した。彼女はウェイターが取り替えていった新しい灰皿の片隅で、煙草の灰の形を整えていた。その唇は薄く開いていた。レーンは苛立ちを募らせながら、しばらく彼女の様子をうかがっていた。真剣にデートしている娘が注意散漫な素振りを見せると、憤慨したり不安を感じたりするタイプの男であるらしい。いずれにせよ、フラニーが抱えているその「虫の居所」のために、週末が台無しになってしまったらどうしようと、それを案じていた。彼は急に前屈《まえかが》みになり、両腕をテーブルの上に置いた。場をうまく仕切ろうと心を決めて。しかし彼が口を開く前に、フラニーが言った。「私は今日はどうかしているの」と彼女は言った。「頭がうまく働かない」。自分が、まるで見知らぬ人を見るような目で、あるいは地下鉄車両の向かい側に貼《は》られたリノリウム・メーカーの広告ポスターを見るような目で、レーンを見ているることに彼女は気がついた。そして不実なことをしているような、微かな罪悪感を再び感じた。それがどうやら、今日いちにちの基調であるようだった。だから彼女は埋め合わせをするべく、手を伸ばしてレーンの手に重ねた。でもその手をほとんどすぐに引っ込めて、灰皿の煙草を取り上げた。「すぐにまともになるから」と彼女は言った。「ちゃんとしっかり約束する」。彼女はレーンに向かって微笑みかけた——ある意味では心から。そしてもしその時点で、相手からお返しの微笑みが返ってきていたなら、あとに続くいくつかの出来事の衝撃は少しくらい和らげられていたかもしれない。しかしレーンは、自分も相手に注意を向けていないふりをするのに忙しく、微笑みを返さないことを選んだ。フラニーは煙草の煙をゆっくり吸い込んだ。「もし遅すぎたりしなかったら」と彼女は言った。「そして愚かにも、優等学位を取ろうなんて決意していなければ、ということだけど、私は英文学をやめちゃうだろうと思う。たぶんだけど」。そして煙草の灰を落とした。「知ったかぶりの連中や、うぬぼれの強いちっぽけなこき下ろし屋に私はうんざりしていて、ほんとに悲鳴を上げる寸前なの」。彼女はレーンを見た。「ごめんなさい。もうこんなこと言わない。絶対に誓って……。でもね、もし私に勇気みたいなのが少しでもあったら、今年は最初から、大学になんかぜんぜん戻ってこなかったと思うのよ。よくわからないけど。私が言いたいのは、何もかもがどうしようもなくくだらないってこと」

「素晴らしい。それは実に素晴らしい」

そこに込められた嫌みを、フラニーは自分の当然の科料として受け取った。「ごめんなさい」と彼女は言った。

「謝るのはもうやめてくれ――いい加減に。おそらく気づいちゃいるまいが、君は何から何までのっ、、、ぺりと一般化している。もし大学の英文科にいる人々がみんな君の言うような、ちっぽけなこきおろし屋だったとしたら、それはまたまったく違った――」

フラニーは彼を遮ったが、その声はほとんど聞こえなかった。彼女は彼のチャコール色のフラノの上着の肩越しに、ダイニング・ルームの向こうにある抽象的な何かを見ていた。

「なんだって?」とレーンは尋ねた。

「それはよくわかってるって言ったの。あなたの言ってることは正しい。私はどうかしているのよ。それだけ。だから私にはかまわないで」

　しかしレーンは、何か議論があって、自分がその主導権をとったかたちで結着しないまま、おとなしく引っ込んでいられる性格ではなかった。「だから僕が言いたいのはさ」と彼は続けた。「人が生きている限りどこにだって、無能な人間はうようよいるということだ。それが世の常なんだ。そのセクション・マンみたいな連中のことはとりあえず忘れちまおうぜ」。彼はフラニーの顔を見た。「僕の言うことは聞こえてる?」

「ええ」

「君の大学の英文科にはなにしろ、この国でもっとも優れた二人の教師がいる。マンリアスとエスポジートだ。連中がここにいてくれたらなあと思うよ、まったくさ。少なくとも彼らは詩人なんだ。なんといっても」

「彼らは詩人なんかじゃない」とフラニーは言った。「それがめげちゃうことのひとつなのよ。私が言いたいのは、本物の詩人じゃないってこと。彼らは詩を書いている し、あちこちに掲載されたり、アンソロジーに収められたりしている。でも彼らは詩人とは違う」、彼女はふと我に返ったように、そこで話すのをやめ、煙草を消した。彼女の顔からだんだん血の気が引いているようだった。つけている口紅でさえ、突然一段階か二段階色が褪《あ》せたようだ。まるでクリネックスで軽く叩いて薄くしたみたいに。「この話はもうよしましょう」と彼女はほとんどどうでもよさそうに言った。そして吸い殻を灰皿に押しつけた。「私はどうかしているのよ。これじゃ、この週末を台無しにしてしまいそう。私の座っている椅子《いす》の下に落とし戸があって、このままぱっと消えちゃったらいいかも」

ウェイターがどこからともなく現れ、二人の前にマティーニのおかわりを置いていった。レーンは自分のグラスの脚のまわりに指を置いた。彼の指は細くて長く、人目につくところに置かれる傾向があった。「君は何も台無しになんかしていないよ」と彼は静かな声で言った。「僕はただ、話の流れを知りたいだけだ。人は本物の詩人になるために、ろくでもないボヘミアンになったり、あるいはいっそのこと死んだりしなくちゃならないわけかい？　君はいったい何を求めているんだ？　髪を波打たせたインチキ野郎か？」

「そうじゃない。でもこの話はもうよしにしない？　お願いよ。気分が本当に良くないの。なんだかおそろしく――」

「もちろん喜んでこんな話はやめるさ。それこそまさに望むところだよ。でもよかったら、その前にひとつ教えてくれないか。本物の詩人ってどんなものなのか。僕はそいつが知りたいんだ。とても」

フラニーの額の上の方に微《かす》かに汗が光った。ただ単に部屋の温度が高かったからかもしれない。あるいは胃の具合が悪くなっていたからかもしれない。あるいはマティーニがいささか強すぎたのかもしれない。いずれにせよ、レーンはどうやらそこまで気がまわらなかったようだ。

「本物の詩人が何かなんて、私は知らない。この話はもうやめましょう、レーン。お願いよ。気分がすごく悪くて、おかしな感じなの。私はとても――」

「わかった、わかった。もういいよ、リラックスするんだ」とレーンは言った。「僕としてはただ――」

「私にわかってるのは、ただこれだけ」とフラニーは言った。「もしあなたが詩人であれば、あなたは何か美しいことをしなくちゃならない。それを書き終えた時点で、あなたは何か美しいものを残していかなくちゃならない。そういうこと。でもあなたがさっき名前をあげた人たちは、そういう美しいものを何ひとつ、かけらも残してはいかない。彼らよりいくらかましな人たちなら、あなたの頭の中に入り込んで、そこに何かを残していくかもしれない。でも彼らがそうするからといって、何かの残し方を心得ているからといって、だからそれが詩であるとは限らない。それはただの、見事によくできた文法的垂れ流しかもしれない。表現がひどくてごめんなさい。でもマンリアスもエスポジートも、気の毒だけどみんなその類《たぐ》いよ」

レーンは時間をかけて、自分の煙草に火をつけた。それからおもむろに口を開いた。「君はマンリアスを気に入っていると思っていたんだけどね。僕の記憶が正しければ、ほんの一ヶ月くらい前までは、彼は素敵な人だって君は言っていた。そして――」

「彼のことは好きよ。私は自分がただ人を好きになることに、うんざりしているの。ほんとの話、尊敬できる人に出会えたらいいのにって思うわ……。ねえ、ちょっと失礼していいかしら」。フラニーはハンドバッグを手に、突然立ち上がった。その顔は真っ青だった。

レーンも椅子を引いて立ち上がった。その口は軽く開けられていた。「いったいどうしたんだ?」と彼は言った。「大丈夫?　気分でも悪いのかい?」

「すぐに戻ってくるから」

彼女は向かうべき方向も訊《き》かずに部屋を出て行った。まるでこれまで何度も「シックラー」で昼食をとったことがあって、すべて心得ているみたいに。

レーンは一人テーブルに残され、そこに座ったまま煙草《たばこ》を吸い、フラニーが戻ってきたときにグラスが空になっていないように、ちびちびとマティーニをすすった。つい半時間前に彼が感じていた、自分は最高にうまくやっているという感覚――自分は正しい場所に、正しい娘と、あるいは正しい見かけをした娘と一緒にいるという感覚――がそっくり消えてしまったことは明らかだった。彼は毛足の短いラクーンのコートを見やった。それはフラニーがさっきまで座っていた空っぽの椅子に、少し傾《かし》いでかけられていた。駅で彼を興奮させたのと同じコートだ。興奮したのは、彼がそれにひとかたならず近しい気持ちを持っていたからだった。しかし今それをしげしげと眺めながら感じるのは、掛け値なしの失望感だった。シルクの裏地の皺《しわ》までが、わけもなく彼を苛立《いらだ》たせるようだった。彼はコートから目を逸《そ》らし、自分のマティーニ・グラスの脚を見つめた。得体の知れない不当なはかりごとに遭った人のように、憂慮の色を顔に浮かべて。ひとつだけはっきりしていることがある。この週末はあまり面白くない始まり方をしてしまったということだ。でもそこでたまたま彼はテーブルから目を上げ、知り合いが連れの女性と一緒に、部屋の向こうにいるのを目にした。彼のクラスメートだ。レーンは椅子の上でいくぶん身をまっすぐにし、さてどうしたものかという、納得のいかない不安の表情を顔から消し去った。そしてデートの相手が彼を置いてふと化粧室に行ってしまい（女性たちはいつだってそうするものではないか）、そのあいだただ煙草を吹かし、所在なげにしている男の顔つきを装《よそお》った。できればそれなりに魅力的に映るように。

「シックラー」の女性用化粧室は、ダイニング・ルーム本体とほぼ同じくらいの広さがあった。そしてある種感覚的に言えば、本体以上にゆったりしているようにさえ見えた。フラニーが入っていったとき、そこには世話係もおらず、利用客の姿も見えなかった。彼女はしばらくそのタイルの床の真ん中に立っていた。そこが誰かとの待ち合わせの場所であるかのように。今ではその額に、汗が玉のように光っていた。口はだらんと開き、顔色はダイニング・ルームにいたときよりも更に蒼白《そうはく》になっていた。

それから唐突に、きわめて素早く、彼女は七つか八つある仕切りの、いちばん奥のいちばん目立たないところに入った（幸運なことに硬貨は不要だった）。そしてドアを閉め、いささか苦労した末にボルトをロックの位置に差し込んだ。今身を置いているのがどういう場所なのかよくわかっていないような素振りで、彼女はそこに座り込んだ。そして自分を少しでも小さな、よりコンパクトな単体にしようとするかのように、両膝《りょうひざ》をぴったりと合わせた。それから両手を縦にして目にあて、付け根の部分をぎゅっと強く押しつけた。まるで視神経を麻痺《まひ》させて、すべてのイメージを虚無に似た暗闇《くらやみ》に溺《おぼ》れさせようとするみたいに。まっすぐ伸ばされた彼女の指は、震えているにもかかわらず、あるいは震えているからこそなのか、不思議なほど優雅に、美しく見えた。彼女はその緊張した、胎児のようにも見える姿勢をしばらく保っていた。それからがっくりと身を崩し、たっぷり五分間泣いた。泣いているあいだ、悲しみや混乱を音声として外に出すことを抑制しようという努力をまったく払わなかった。痙攣《けいれん》する喉《のど》が音を立てた。それはヒステリー状態の子供が発する、半ば塞《ふさ》がった喉頭蓋《こうとうがい》を空気が通り抜けようとするときの音だった。それでもようやく泣き止《や》んだとき、彼女は実にきっぱりと泣き止んだ。そういう暴力的なまでに激しい出入りのあとに通常ある、ナイフで切られるような痛みを伴う吸気もなかった。彼女が泣き止んだとき、彼女の意識の中で何らかの重大な極性の転換が行われたかのようだった。そしてそれは一瞬にして、身体《からだ》を平定する効果を発揮した。顔には涙のあとがついていたが、そこに表情らしきものはなく、ほとんど空白に近かった。彼女は床からハンドバッグを拾い上げ、その口を開けて、黄緑色の布装の小さな本を取り出した。それを膝の上に

——というよりはむしろ膝小僧の上に——置き、まっすぐ見下ろした。文字通り凝視した。その黄緑色の小さな布装本を置くのに、そこにまさる場所はないという顔つきで。少しあとで彼女はその本を取り上げ、胸の高さに掲げて、身体に押し当てた。しっかりと、ほんの一瞬。それから本を再びバッグに戻し、立ち上がって仕切りを出た。冷水で顔を洗い、頭上のラックからタオルを出して拭《ふ》いた。口紅を塗り直し、髪を梳《す》いてから化粧室を出た。

ダイニング・ルームを横切って歩いていく彼女の姿は、まさに見事なものだった。大学の祝賀的週末によく見かける、怠りなく決め込んだ女子の姿だ。彼女が機敏な足取りで、微笑《ほほえ》みながら自分の席に近づいていくと、レーンは左手にナプキンを持ったまままゆっくり立ち上がった。

「ほんとにごめんなさいね」とフラニーは言った。「もう死んじゃったかと思ったんじゃない？」

「死んだとまでは思わなかったよ」とレーンは言って、彼女のために椅子を引いた。「いったい何があったんだろうとは思ったけどね」。そして回り込むように自分の席に戻った。「ところで、時間の余裕がそれほどなくってね」。彼は腰を下ろした。「大丈夫かい？　目が少し赤いみたいだけど」。そして彼女の顔を更にまじまじと見た。「何か具合悪いとか、そういうんじゃないの？」

フラニーは煙草に火をつけた。「もうぜんぜん大丈夫よ。でも生まれてこの方、あんなに自分がふらふらしたのは初めて。もう注文は済んだの？」

「君が戻ってくるのを待っていたんだ」とレーンは、なおも彼女の顔を子細に眺めながら言った。「いったい何があったんだい？　胃の具合でも悪かったの？」

「違う。えーと、そうでもあり、そうでもない。自分でもわからない」とフラニーは言った。そしてプレートの上のメニューを見た。それを手に取ることなく目で追った。

「私はチキン・サンドイッチだけでいい。それからミルクのグラス……。でもあなたは好きなものを注文してね。だから、カタツムリでも蛸《オクトパシズ》でも、なんでも好きなものを。オクトパスの複数形はオクトパイだっけ。私はぜんぜんお腹《なか》がすいていないの」

レーンは彼女を見た。それからいささかわざとらしく、煙草の煙を、プレートに向けて淡くふうっと吐いた。「こいつは華やかな週末になりそうだね」と彼は言った。

「なんとチキン・サンドイッチとは」

フラニーはむっとした。「お腹がすいていないのよ、レーン。悪いとは思うわ。ほんとにそう思ってるのよ。だから、お願い。あなたはなんでも好きなものを注文してちょうだい。そしてあなたがそれを食べているあいだに、私は自分のぶんを食べちゃうから。でもあなたのお望みにあわせて、ありもしない食欲をかきたてることはできない」

「わかった、わかった」。レーンは首をまっすぐ伸ばし、ウェイターに合図をした。そしてほどなく注文を終えた。フラニーのためにチキン・サンドイッチとミルクのグラス。自分のためにカタツムリと蛙《かえる》の脚、そしてサラダ。ウェイターが行ってしまうと、彼は腕時計に目をやった。「ちなみに僕らは一時十五分までにテンブリッジに行くことになっている。まあ一時半でもかまわないけど、それがぎりぎりだ。まずウォリーのところに寄って、軽く一杯やって、それから彼の車に乗って、みんなでスタジアムに行く。それでかまわないかな？　ウォリーのことは好きだろう？」

「その人には会ったこともないわ」

「おいおい、君はもう二十回くらい彼に会っているよ。ウォリー・キャンベルだよ。参ったな。あいつに一度会ったら、忘れることなんて――」

「ああ、そうね、覚えているわ……。でもね、ある種の人たちは、私にはすぐに思い出すことができないの。だからそんなにかりかりしないで。とくにほかのみんなと見かけが同じようで、同じようなしゃべり方をして、同じような服を着て、同じように振る舞う人たち」。フラニーはやっと自分の声にストップをかけた。そういう言い方は自分でも、いかにも狭量《きょうりょう》で意地悪く聞こえた。自己嫌悪《けんお》が波のように押し寄せてきた。おかげで額に汗さえ浮かび始めた。しかしまずいとは知りながら、彼女は再び語り出していた。「彼に何かすごく嫌なところがあるとか、そういうんじゃないのよ。ぜんぜん。ただね、この四年間というもの、私は行く先々でウォリー・キャンベルみたいな人をきまって目にしてきたの。彼らがチャーミングになろうとする潮時もわかる。彼らが誰かに向かって、その誰かと同じ寮に住んでいる女の子についての、実にえげつない噂話《うわさばなし》を始める潮時もわかる。夏のあいだ私が何をしていたかについて質問してくる潮時もわかる。彼らが椅子を引いて、それに逆向きにまたがって、とってもとっても静かな声で自慢話を始める潮時もわかる。あるいはとっても静かな、そしていかにもさりげない声で、自分が知っている有名人の名前を並べ始める潮時も。そういう文字には書かれていない法律みたいなのがあるのよ。ある社会的、経済的階層に属する人は、自分が有名人を知っていることをいくら自慢してもいい。ただしその名前を挙げるたびに、すぐさまこっぴどくその相手を貶《おとし》めるべしっていう法律がね。その有名人がろくでもないやつだとか、色情狂の女だとか、麻薬常用者だとか、何かそういうことよ」。彼女はまた急に話しやめた。しばらくのあいだ口を閉ざし、灰皿を指で回していた。そして顔を上げないように、レーンの浮かべた表情を目にしないように気をつけていた。「ごめんなさい」と彼女は言った。「何もウォリー・キャンベル一人のことを言っているんじゃないの。あなたがたまたま彼の名前を挙げたから、彼についていちゃもんをつけているだけ。そしてただ彼が、この夏をイタリアかどこかで過ごしたように見える人だから」

「事実をはっきりさせれば、彼はこの夏をフランスで過ごした」とレーンは言った。それから「君の言わんとすることはわかる」とすかさず付け加えた。「しかし君の言い方はいささか――」

「なるほど」とフラニーは疲れた声で言った。「フランスね」。そしてテーブルの上の煙草の箱から一本取り出した。「それは何もウォリーだけのことじゃないの。女の子にだって、ちゃんとその手のタイプはいるのよ、まったくの話。もし彼が女の子だったら――私と同じ寮に住んでいる誰かだったら――彼はきっとどこかのレパートリー劇団で、舞台背景を描いて一夏を送っていたでしょうね。それとも自転車に乗ってウエールズを巡っていたかもしれない。あるいはニューヨークにアパートメントを借りて、雑誌社か広告代理店の仕事をしていたかもしれない。結局のところ、それは誰でもあるのよ。みんながやっていることはすべて――なんと言えばいいのかしら――ぜんぜん間違ってないの。意地悪くさえないし、必ずしも愚かしいというわけでもないの。ただちっぽけで意味がなくて、そして——気が滅入《めい》っちゃうだけ。でもいちばんまずいのは、もしあなたがボヘミアンとか、そういったとんでもないものになったとしても、それはそれでまたしっかり画一化されちゃうということなの。ちょっと違った風にではあるけれど、やはりみんなと同じになってしまう」。彼女はそこで話しやめ、短く首を振った。その顔は真っ白になっていた。そしてほんの僅《わず》かの瞬間のことではあるけれど、手を額にあてた。それは発汗を確かめているというよりは、熱があるかどうか測っているみたいに見えた。親が子供によくそうするように。「なんだか変だわ」と彼女は言った。「頭がおかしくなりそう。あるいはもうおかしくなっちゃったかも」

レーンは今では真剣に心配して彼女を見ていた。それは好奇心よりは心配に近いものだった。「君の顔は真っ青だぜ。ほんとうに真っ青だ——そのことはわかってる?」と彼は尋ねた。

フラニーは首を振った。「大丈夫よ。すぐに大丈夫になるから」。ウェイターが彼らの注文したものを運んでくると、彼女は顔を上げた。「あら、あなたのカタツムリはとてもきれいね」。彼女は煙草を唇に運んだところだった。しかし火は消えてしまっていた。「マッチはある？」と彼女は言った。

ウェイターがいなくなると、レーンは彼女の煙草に火をつけてやった。「君は煙草を吸いすぎる」と彼は言った。そしてカタツムリの皿の横にある小さなフォークを取り上げたが、それを使う前にもう一度フラニーの顔を見た。「君のことが心配なんだ。冗談抜きでさ。この二週間のあいだに、君にいったい何が起こったんだ？」

フラニーは彼の顔を見た。そして肩をすくめる動作と、首を振る動作を同時におこなった。「何もないわ。まったく何も起こっていない」と彼女は言った。「いいから、そのカタツムリを食べてよ。冷えたらまずくなっちゃうから」

「君こそ食べた方がいい」

フラニーは肯《うなず》いて、チキン・サンドイッチを見下ろした。微《かす》かな吐き気を感じた。それですぐに顔を上げて、煙草の煙を吸い込んだ。

「芝居の方はどうだい？」、レーンはカタツムリに注意を向けながら尋ねた。

「さあどうかしら。私はもう芝居に出ていないから。辞めたの」

「辞めた？」。レーンは顔を上げた。「だってあんなに自分の役に夢中になっていたじゃないか。何があったんだ？　その役が誰か他の人にまわされちゃったの？」

「いいえ、そんなことはない。役はずっと私のものだった。たまらないわ。ああ、本当にたまらない」

「ねえ、何があったんだよ？　ひょっとして、演劇科そのものを辞めちまったってこと？」

フラニーは肯いた。そしてミルクをすすった。

レーンは口の中のものを嚙《か》んで、それを吞《の》み込んでしまうまで時間を置いた。それから言った。「いったいどうしてなんだ？　君はずいぶん舞台に情熱を注ぎ込んでいたみたいに見えたぜ。口を開けばその話ばかりしていたような――」

「私は辞めちゃったの。ただそれだけ」とフラニーは言った。「だんだんみっともない気持ちになってきたのよ。自分がいやらしい、ちっぽけなエゴむき出しの人間になっていくみたいで」、彼女はそこで考え込んだ。「よくわからないんだけど、でもそもそも何か演じたいと思うこと自体が、なんていうのかしら、どうにも悪趣味なことに見えてきたの。詰まるところみんなエゴを振りまいているだけじゃないかって。そして芝居がかかっているあいだは、舞台がはねたあと楽屋にいて、自分がつくづく嫌になってしまったものよ。もうエゴがそこらを駆け巡っていて、みんなものすごく思いやりがあって、心温かに感じられるわけ。誰かれかまわずキスをして、みんなしっかりメイキャップをつけたまま、舞台裏まで会いに来てくれた友だちなんかにやたらナチュラルに、フレンドリーに振る舞おうとするわけ。私は自分がただただ嫌になってしまう……いちばん参っちゃうのはね、私に与えられる芝居が、おおかた恥ずかしくなっちゃうような代物《しろもの》だったってこと。とりわけ夏期公演《サマーストック》なんかではね」。彼女はレーンを見た。「そして私は良い役をもらっていた。だからそんな顔で私を見ないで。そういうんじゃないの。それはね、もし私の尊敬するような人たち——つまり、そうね、たとえば私の兄たちとか——がやってきて、私がその芝居の中で口にしなくちゃならないいくつかの台詞《せりふ》を聞いたら、私はきっと恥ずかしくてたまらない気持ちになってただろうっていうだけのこと。だから私はいつもこれはと思う人たちに手紙を書いて、どうか舞台を見に来ないでくれって頼んだものよ」。彼女はまた少し考え込んだ。去年の夏にやった『プレイボーイ』（訳注　アイルランド人の劇作家J・M・シングの書いた戯曲。一九〇七年に初演。正式な題は『西の国のプレイボーイ』）のペギーン役だけは別だったけどね。あれはうまくいけば良いものになったかもしれない。でもプレイボーイを演じたとんまが、そういう喜びをとことん台無しにしてくれた。彼はその役を叙情的に切々と演じたの。まったくもう、切々とよ！」

レーンはカタツムリを食べ終えていた。彼はわざと表情を抑えてそこに座っていた。「彼は批評で絶賛された」と彼は言った。「君はその劇評を送ってくれた。覚えているだろう」

フラニーはため息をついた。「そうね。そのとおりよ、レーン」

「いや、僕が言いたいのは、こういうことだよ。君は半時間もしゃべりまくった。まるで君だけがただ一人、この世の中でまともな知性を具《そな》え、批評能力を持ちあわせているかのように。でも、つまりさ、もし名のある批評家の何人かが、その芝居における彼の演技を素晴らしいと見なしたのなら、ひょっとして彼は実際に素晴らしく、君が間違っていたということだってあるんじゃないかな。そういう可能性は君の頭にまったく浮かばなかった？　だって君は今のところまだ、成熟した分別ある年齢に――」

「彼は素晴らしかったわ。そこそこの才能を持った普通の人間にしてはね。でもね、もしあのプレイボーイをきちんと演じたいと思ったら、あなたは天才でなくてはならないのよ。ただそれだけのこと――それはどうしようもないことなの」とフラニーは言った。彼女は微かに背中を反らせ、口を薄く開けた。そして頭のてっぺんに手を置いた。「ねえ、頭がくらくらしておかしな感じなの。いったいどうしちゃったのかしら？」

「君は自分が天才だと思っているわけ？」

フラニーは頭の上から手をどかした。「ああ、レーン、お願い。そういうのはよして」

「僕は何も――」

「私にわかるのは、私の頭がまともじゃなくなりかけているってことだけ」とフラニーは言った。「私はただ、溢《あふ》れまくっているエゴにうんざりしているだけ。私自身のエゴに、みんなのエゴに。どこかに到達したい、何か立派なことを成し遂げたい、興味深い人間になりたい、そんなことを考えている人々に、私は辟易《へきえき》しているの。そういうのって私にはもう我慢できない。実に、実に。誰が何を言おうと、そんなのどうでもいいのよ」

それを聞いて、レーンは眉《まゆ》を上げた。そして言いぶんに重みをつけるべく椅子《いす》に深く座り直した。「君は内心、人と競いあうのを恐れているんじゃないのかい？」と彼はいかにもという静かな声で尋ねた。「僕はその手のことにあまり詳しくはない。でも思うんだが、きっと優秀な精神科医であれば、もちろん抜きん出た人物であればってことだけど、そういう発言についておそらく――」

「私は人と競争することを怖がっているわけじゃない。まったく逆のことなの。それがわからないの？　私は自分が競争心を抱くことを恐れているの。それが怖くてしかたないわけ。だから私は演劇科を辞めちゃったの。私はまわりの人たちの価値観を受け入れるように、ものすごくしっかり躾《しつ》けられてきたから、そしてまた私は喝采《かっさい》を浴びるのが好きで、人々に褒めちぎられるのが好きだからって、それでいいってことにはならないのよ。そういうのが恥ずかしい。そういうのが耐えられない。自分をまったくの無名にしてしまえる勇気を持ちあわせていないことに、うんざりしてしまうのよ。なにかしら人目を惹《ひ》くことをしたいと望んでいる私自身や、あるいは他のみんなに、とにかくうんざりしてしまうの」。彼女は話しやめ、唐突にミルクのグラスを手に取り、口に運んだ。「でも何かが」と彼女はグラスを下に置いて言った。「何か新しいことが持ち上がっている。歯がおかしな感じになるの。がたがた震えちゃうの。一昨日《おととい》なんて、グラスを噛んで割ってしまいそうになった。私は頭が完全にいかれちゃっていて、それに気づかないだけなのかしら」。やってきたウェイターが、レーンの注文した蛙の脚とサラダをテーブルに並べていた。フラニーは顔を上げてウェイターを見上げた。相手は逆に、彼女の手のつけられていないチキン・サンドイッチを見下ろした。そして「こちらのヤングレディーには、何か別のものをお持ちしましょうか」と尋ねた。フラニーは「ありがとう。でもこれでいいの」と言った。「私はただ食べるのがとても遅いだけなの」と彼女は言った。年季を経たウェイターは、彼女の真っ青な顔色と、汗の浮かんだ額を僅かに目にとめたようだったが、軽くお辞儀をして下がった。

「これを少し使ったらどう？」とレーンは出し抜けに言った。そして折り畳んだ白いハンカチを差し出した。彼の声には思いやりと親切心がうかがえた。本人としてはあえて実務的な声にしたかったのだが。

「どうして？　私にはそれが必要？」

「君は汗をかいている。いや、それほどじゃないけど、額が少しばかり湿っている」

「本当？　なんてことかしら。ごめんなさいね……」、フラニーはハンドバッグをテーブルの高さに上げて、それを開き、中をごそごそと探した。「どこかにクリネックスがあったはずなんだけど」

「僕のハンカチを使えばいい。どっちだっておんなじじゃないか」

「だめよ。素敵なハンカチだし、汗でぐしょぐしょにしたくないから」とフラニーは言った。ハンドバッグの内部は、混み合って始末に負えない状態になっていた。中をよく見るために、彼女は中身をいくつか取りだしてテーブルクロスの上に置いた。手をつけていないサンドイッチのすぐ左側に。「ああ、ここにあった」と彼女は言った。そしてコンパクトの鏡を使い、クリネックスで額をとんとんとせわしなく叩《たた》いた。

「どうしよう。私はなんだか幽霊みたいに見える。あなたはよくこんな私に我慢できるわね」

「その本はなんだい？」とレーンは尋ねた。

フラニーは文字通り飛び上がった。そして自分がテーブルクロスの上に雑然と小さく積み重ねた、ハンドバッグの中身を見下ろした。「何の本のこと？」と彼女は言った。「この本のこと？」。彼女はその小さな布装本を手に取り、ハンドバッグの中に戻した。「列車の中で読もうと持ってきた本よ」

「見せてくれないか。何の本なの？」

フラニーは彼の言っていることが聞こえないようだった。コンパクトを再び開き、もう一度ちらりと鏡を見た。「どうしよう」と彼女は言った。それからそこに置かれたすべてを——コンパクト、札入れ、クリーニング店の請求書、歯ブラシ、アスピリンを入れる小さな缶、金メッキのマドラーなどを——ハンドバッグに戻した。「なんでまた、こんな馬鹿《ばか》っぽい金のマドラーを持ち歩いているのかしら？」と彼女は言った。「大学一年生のときに、すごく垢抜《あかぬ》けない男の子が、誕生日のプレゼントとしてくれたの。彼はこれをとても気が利《き》いた美しい贈り物だと思い込んでいて、その包みを開いている私の顔をじっと見つめていた。こんなもの捨てちゃおうとずっと思っているんだけど、なぜかそれができない。お墓の中まで持って行くかも」。彼女はしばし考え込んだ。「彼は私の顔を見ながらずっとにこにこして、こう言い続けていた。これを肌身離さず持っていれば、幸運は常に君と共にあるって」

レーンは蛙《かえる》の脚にとりかかっていた。「ところで、それはどんな本なんだよ？　それともそいつは大事な秘密なのかな？」と彼は質問した。

「バッグの中の小さな本？」とフラニーは言った。レーンが蛙の脚一対を解体するのを、彼女は見ていた。そしてテーブルに置かれた煙草《たばこ》の箱から一本取り出し、今度は自分で火をつけた。「ええと、そうね」と彼女は言った。「『巡礼の道』とかそういう題のついた本よ」。レーンが食べる様子を、彼女はしばらく眺めていた。「図書館で借りたの。今学期とっている『宗教概論』みたいなやつの先生が、その本のことを話していたから」。彼女は煙草の煙を吸い込んだ。「もう何週間か借りっぱなしになっている。返そうと思うんだけどついつい忘れちゃって」

「誰が書いたんだい？」

「知らないわ」とフラニーはどうでもよさそうに言った。「どこかのロシア人の農夫らしいけど」。彼女は蛙の脚を食べるレーンをじっと眺めていた。「名前は明らかにされていないの。彼がその物語を語っているんだけど、名前はわからない。彼は農夫で、三十三歳で、片腕が萎《な》えている。そして奥さんを亡《な》くしている。時代は十九世紀。わかってるのはそれくらい」

レーンは蛙の脚からサラダに注意を移したところだった。「面白いのかい？」と彼は言った。「どんな内容なんだろう？」

「ええと、どう言えばいいんだろう。ちょっと変てこな本なの。まあそもそもは宗教についての本なのよ。ある意味ではすっごく狂信的と言うこともできるかもしれない。でもある意味ではそうでもない。つまりね、この農夫が——巡礼が——聖書に『休むことなく絶えず祈らなくてはならない』と書かれているのがいったいどういうことを意味するのか、それを解き明かしたいと思うところから、この本は始まるわけ。だからね、とにかく祈ることをほんの少しでも休んじゃいけないと、『テサロニケ書』とか何かに書いてあるわけ。それで彼はロシア中を歩いて回り始めるの。どうやったら休みなく絶えず祈り続けられるか、その方法を教えてくれる人を見つけるべく。そしてもしそれを実行するとしたら、どんな言葉を口にしなくちゃいけないのかを」。フラニーの意識はレーンが蛙の脚を切り分ける姿に集中して向けられているみたいだった。話しながらも、目は彼の皿の上に釘付《くぎづ》けになっていた。「彼が持っている荷物といえば、パンと塩を入れたずだ袋ひとつだけ。やがて彼はスターレッツと呼ばれる人に出会う。スターレッツとは、深い霊的地点まで達した導師みたいな人のこと。そしてそのスターレッツは彼に『フィロカリア』という書物のことを教えてくれる。それはどうやら、とてつもなく深く修行を積んだ修道僧のグループによって記された本で、そこでは実に信じられないような祈りの方法が提唱されているの」

「じっとしていろよな」とレーンは蛙の脚に向かって言った。

「とにかくそうやって、そのとっても神秘的な人々が、こうやって祈るべしと主張する祈りの方法を、巡礼は学ぶわけ。つまり、それを完全に自分のものにするまで、身を粉にしてがんばるわけ。それから彼はロシア中を徒歩で巡り、道中で信じられないくらい素晴らしい様々な人々に出会うんだけど、そのたびにそのとてつもない祈りの方法を相手に伝授するの。まあ、この本に書いてあるのは、ただそれだけのことなんだけど」

「悪いけど、僕はニンニクの匂《にお》いがついちゃったかもな」とレーンは言った。

「彼は何度も旅をするんだけど、ひとつの旅の途中で、ある夫婦ものに出会うの。私が生まれてこのかた読んだ本の中で、これほど愛せる登場人物はほかにいなかった」とフラニーは言った。「彼はどこかの田舎の道を歩いている。ずだ袋ひとつを背負ってね。するとすごく小さな子供が二人、彼のあとを走って追ってきて、『乞食《こじき》さん、乞食さん。うちの母さんのところにおいでよ。母さんは乞食さんが好きなんだ』と言うの。それで彼は子供たちと一緒にその家に行く。するととびっきり素敵な女の人が、つまりその子供たちのお母さんが、大騒ぎしながら家から出てきて、彼の履いている古くて汚い長靴を、どうしてもって言い張って、手伝って脱がせてくれるわけ。それからお茶も出してくれる。やがて父親が帰ってくるんだけど、どうやらこの人もまた、乞食とか巡礼とかが大好きみたいなの。そして彼らはみんなで夕食の席に着く。その席で巡礼は尋ねるの。『このテーブルにはたくさんの女性が同席しておられますが、どのような方たちなのでしょう』って。夫はこう答える。彼女たちはうちの召使いですが、私たち夫婦と同じテーブルで食事をとります。なぜならイエス様の御前《みまえ》では、みんな私たちの姉妹であるからです」。フラニーは我を取り戻したみたいに、突然椅子の中で少し姿勢をまっすぐにした。「私が好きなのは、そこにいる女性たちがどういう人たちなのか、巡礼が尋ねたところよ」。彼女はレーンがパンにバターを塗る様子を見ていた。「で、そのあと、巡礼はその家に泊めてもらうの。そしてそこのご主人と巡礼は、休みなく絶えずお祈りをする方法について、夜遅くまで膝《ひざ》を交えて語り合う。巡礼はそのお祈りの方法をご主人に教えるの。そして夜が明けて、彼はまた更なる冒険に旅立つ。その道中、彼は実にいろんな人に巡り会って——要するにその本に書いてあるのはただそれだけのことなんだけど――彼はみんなに、その特別なお祈りの方法を伝授するわけ」

レーンは肯《うなず》いた。そしてフォークでサラダをつついた。「それでさ、もし週末に時間がうまく空いたら、さっき話した僕の小論みたいなのを、君にちっと読んでもらいたいんだ」と彼は言った。「だからさ、僕としてはそいつをどうしたものか、まだはっきり決めたわけじゃないんだ。つまり世間に発表するとか、何するとかさ。でも君がここにいるあいだに、さらっと目を通してくれたらなあとか、考えてるわけさ」

「喜んで」とフラニーは言った。そして彼が新しいパンにバターを塗るのを眺めた。「あなたはこの本を気に入るかもしれない」と彼女は唐突に言った。「だからね、とにかくシンプルなんだ」

「興味深いね。君はそのバターいらないの？」

「いらない。使っていいわよ。ずいぶん延滞になっているから、本を貸してあげることはできないけど、ここの図書館でもたぶん手に入るんじゃないかしら。きっと見つかると思うな」

「サンドイッチにぜんぜん手をつけてないじゃないか」とレーンは突然言った。「どうしたんだよ？」

フラニーは自分の皿を見下ろした。まるでそれが、つい今しがたそこに置かれたものであるみたいに。「少しあとで食べる」と彼女は言った。彼女は左手に煙草を持ち、しばらくそこにじっと座っていた。でも煙を吸いはしなかった。右手はミルクのグラスの底の部分をしっかり握っていた。「そのスターレッツが彼に教えてくれた特殊な祈りの方法を、あなたは知りたい？」と彼女は尋ねた。「これがある意味、なかなか興味深い方法なの」

レーンは最後の蛙の脚にナイフを入れた。そして肯いた。「ああ」と彼は言った。

「ああ、そりゃ」

「だからさっきも言ったように、そもそも巡礼は——その単純な農夫は——聖書に書かれている『休むことなく絶えず祈らなくてはならない』という文句がいったいどういうことなのか、その意味を見つけるために巡礼の旅に出るわけ。そしてさっきも言ったように、彼はこのスターレッツに、つまり霊的指導者に出会う。その人は『フィロカリア』という書物を何年も何年も何年も研究しているわけ」。フラニーはそこで語りやめ、沈思し、考えをまとめた。「それでね、そのスターレッツはまず最初に、イエスへの祈りを彼に教えるの。『天なるイエス・キリスト様、私に慈悲をお与え下さい』って。たったそれだけ。そして説明する。それがお祈りには最良の文言なのだと。とくにその『慈悲』っていう言葉がね。なぜならそれはどこまでも広い言葉であり、実に多くのことを意味しうるからなの。つまりね、それはとくに字義通りの慈悲である必要もないわけ」、フラニーはまたそこで少し考え込んだ。彼女はもうレーンの皿を見てはいなかった。彼の肩越しにその先を見ていた。「いずれにせよ」と彼女は続けた。「そのスターレッツは巡礼にこう教える。そのお祈りの文句を何度も何度も繰り返していれば——始めはただ唇を動かしてさえいればいいの——やがてそのお祈りは勝手に自然に口から出てくるようになる。そしてしばらくすれば何かが起こる。どんなことが起こるのかはわからない。しかし何かが起こる。そしてそのお祈りの言葉は、祈る人の心臓の鼓動と連結してくる。そうなれば、人は休むことなく絶えず祈るという境地に達している。そしてそれはその人のものの見方にきわめて大きな、神秘的な効果を及ぼすことになる。そのことが多かれ少なかれ、この本全体の要点になっているの。つまりね、そのお祈りをすることによってものの見方が純化され、森羅万象についてまるっきり新しい概念を与えられるわけ」

レーンは食べる作業を終了していた。そして今フラニーが話すのを再び中断すると、椅子《いす》の背にゆったりもたれ、煙草に火をつけ、彼女の顔を見た。彼女はまだ彼の肩越しに、その先にあるものをまとまりのない目で見ていた。彼の存在はほとんど目に入っていないみたいだった。

「でも大事なのは、何より素晴らしいことは、あなたが最初に祈りを始めるとき、自分の行いにとくに信念を持たなくてもかまわないということなの。というか、ものすごくみっともないことだとか思ってても、ちっともかまわないわけ。それで誰かを、あるいは何かを侮辱しているみたいなことにはならない。言い換えれば、最初にそれを始めるときには、何かを信じろとか、そういうのはぜんぜん要求されないわけ。口にする言葉の意味だってとくに考える必要はない、とスターレッツは言う。最初の段階で必要なのは、とにかく少しでも数多く祈りを口にすることなの。時間がたてば質は自然に伴ってくる。それ自体の力みたいなものによって。導師の言うところによれば、神を意味するどのような呼び名も——どんな呼び名だってかまわないんだけど——そのような不思議な、自律的な力を有している。いったんそれを始動させれば、あとはひとりでに機能し始めるものなの」

レーンは椅子の上にいくぶん背を丸めて座り、煙草を吹かし、目を細めてフラニーの顔を注意深く見ていた。彼女の顔はまだ青白かった。しかしこの店に入ってすぐの頃に比べれば、いくらか血色が戻っていた。

「でも考えてみれば、それは実に筋の通った話なのよ」とフラニーは言った。「仏教に念仏を唱える宗派があって、そこでは人々はただ『ナム・アミダ・ブツ』という言葉を、繰り返し繰り返し唱え続けるの。それは『仏陀《ぶっだ》を讃《たた》えよ』とか、とにかくそういう意味。そしてその結果として、同じような現象が起こる。実にそっくり同じことが——」

「なあ、落ち着きなよ。気持ちを落ち着けて」とレーンは口を挟んだ。「まずだいいちに、指をやけどしちゃいそうだ」

フラニーは自分の左手にほんのちらりと目をやり、まだ燃えている短い煙草を灰皿に落とした。「あの『無知の雲』（訳注　十四世紀に出版された中世英語で書かれた宗教書。著者不明）の中でも、まったく同じことが起こるわけよ。ただ『神』という言葉だけで。その『神』という言葉を口にし続けるだけで」。この数分間で初めて、彼女はレーンの顔をまっすぐ正面から見た。「ねえ、そんな素晴らしい話を、あなたはこれまでの人生において、少しでも耳にしたことがあった？　私が言いたいのはそういうこと。つまりね、そんなのたまたまの一致だよって、無視してしまうわけにはいかないでしょう。そこが最高に素敵なところなのよ。少なくともそういうのって、おそろしく——」、彼女はそこで口をつぐんだ。

レーンは落ちつかなげにそわそわ動いていた。そして彼の顔には、彼女がよく知っている表情が浮かんでいた——それは主としてぐいと上げられた眉毛《まゆげ》に表われていた。

「どうかした？」と彼女は尋ねた。

「つまり君はその話とか、実際に信じているの？」

フラニーは煙草《たばこ》の箱に手を伸ばし、一本取った。「信じているとも、信じていないとも言っていない」、彼女はそう言うと、紙マッチを求めてテーブルの上を見渡した。「素晴らしい話だって言っただけよ」。彼女はレーンの差し出した火を受け取った。「私はただ、それは実に驚くべき符合だと思うの」と彼女は煙を吐きながら言った。「行く先々で同じような導きの言葉に行き当たることが。つまり霊的に深いところに達した、信頼するに足る人たちがみんな口を揃《そろ》えてこう言うわけ。『休むことなく絶えず神の名を唱えていなさい、そうすれば何かが起こるから』って。インドでも同じなの。インドでは『オム』を瞑想《めいそう》しなさいって言われる。『オム』もだいたい同じような意味を持っているの。そしてそこでもまったく同じ結果がもたらされることになっている。だから、そんなの理屈に合わないって、簡単には退けられないはずよ。たとえ――」

「それでどんな結果が出るわけ？」とレーンはぶっきらぼうに質問した。

「なんですって？」

「だからさ、それによってどんな結果がもたらされるんだろう？　神に同期するだの、わけのわからんお祈り三昧《ざんまい》のことだよ。心臓がおかしくなったりするのかい？　ねえ、君は知ってるかどうか、そういうのってすごく有害なことかもしれないぜ。自分の身体《からだ》に対して、それこそとんでもない——」

「あなたは神を見るようになるのよ。心のどこかにある、まったく非肉体的な部分に何かが起こるの。もしあなたが宗教の授業を少しでもとっていれば知ってるでしょうけど、ヒンズー教徒は、その部分にアートマン（霊）が住むと言う。そしてあなたは神を目にすることになる。それだけのこと」。彼女はぎこちなく煙草の灰を落としたが、僅《わず》かなところで灰皿には入らなかった。彼女は灰を指で拾って中に入れた。「神が誰で、どんなものかなんて、私に尋ねないで。だって神が本当にいるかどうかだって、私は知らないんだもの。小さい頃、よくこう考えたものだわ。つまり——」。彼女は話しやめた。ウェイターがいつの間にか食器を下げて、デザートのメニューを置いた。

「デザートかコーヒーはどう？」とレーンは尋ねた。

「私はまだミルクが残っているから。でもあなたは好きなものを注文して」とフラニーは言った。ウェイターは手つかずのチキン・サンドイッチの皿を、彼女の前から下げた。彼女は目を上げさえしなかった。

レーンは腕時計に目をやった。「参ったな。もう時間がないよ。このぶんじゃ試合の開始にも遅れちまうかもな」。彼はウェイターを見上げた。「僕にコーヒー。それだけをお願いするよ」。彼はウェイターが去っていくのを見ていた。それからテーブルに両手を置き、前屈《まえかが》みになった。お腹《なか》はいっぱいになったし、気分はすっかりリラックスしているし、ほどなくコーヒーが運ばれてくるはずだ。そして言った。「なるほど、それはなかなか興味深い話だ。君の話には……もっとも初歩的な心理学の入る余地も残ってないみたいだ。つまりさ、そういう宗教的体験にはきわめて明白な心理学的背景があると僕は思うんだ。言っている意味はわかるかな……でもとりあえず興味深い話だ。一概には否定できない部分もある」。彼はフラニーの方を見て微笑《ほほえ》んだ。「ところで、僕はひとつ言い忘れていたかもしれない。僕は君のことを愛している。それを君に言う機会を逃していたようだ」

「ねえ、レーン、またちょっと失礼しちゃっていいかな?」とフラニーは言った。そしてそれを最後まで言い終える前に席から立ち上がった。

レーンも彼女の顔を見ながらゆっくりと立ち上がり、「大丈夫かい?」と尋ねた。

「また気分が悪いとか、そういうの?」

「ちょっと変な感じがするだけ。すぐに戻るから」

フラニーは素早い足取りでダイニング・ルームを横切った。前と同じ道筋を辿《たど》って。しかしその途中、部屋の端にある小さなカクテル・バーの前で唐突に足を止めた。シェリー・グラスを拭《ふ》いていたバーテンダーが彼女の顔を見た。彼女はバーに右手を置き、それからお辞儀でもするかのように頭を落とした。そして左手を額にやった。指先だけそっと触れるくらいに。それから身体を僅かに左右に揺らせ、気を失い、床に崩れ落ちた。

五分ほどで、フラニーはすっかり意識を取り戻した。彼女は支配人室のカウチに横になっていた。レーンは隣に座って、心配そうに彼女の顔を真上から見下ろしていた。彼の顔も今ではずいぶん蒼白《そうはく》になっていた。

「気分はどうだい？」、彼は病室向きの声で言った。「少しはよくなった？」

フラニーは肯いた。天井の照明が眩《まぶ》しくて一瞬目を閉じたが、やがてまた目を開けた。「『私は今どこにいるの？』って言うべきなんでしょうね」と彼女は言った。「私は今どこにいるの？」

レーンは笑った。「支配人のオフィスだよ。みんなでアンモニアの瓶やら、医者やら、君の意識を取り戻すためのものを探しまくってるんだ。たまたまアンモニアを切らしていたらしい。どんな具合なんだ？　冗談抜きで」

「大丈夫よ。みっともない気分だけど、でも大丈夫。私、本気で失神とかしちゃったわけ？」

「見事に。君は文字通り気絶したんだ」とレーンは言った。彼はフラニーの手を取った。「でもさ、いったいどうしちゃったんだよ？　つまりさ、先週君に電話をかけたときは、なんて言うか、まったくまともだったじゃないか。朝ご飯をちゃんと食べなかったとか、そういうこと？」

　フラニーは肩をすくめた。彼女の目は部屋の中を見回した。「恥かしいわ」と彼女は言った。「誰かに担ぎ込まれたのかしら？」

「バーテンダーと僕とで運んだ。持ち上げるみたいにしてね。まったくもう、どうなるかと思ったよ」

　彼女は手を握られたまま、瞬《まばた》きもせずに、考え込むように天井を見上げていた。それから身体の向きを変え、空いている方の手で、レーンのシャツの袖《そで》を押し上げるような仕草をした。「今、何時かしら？」と彼女は尋ねた。

「気にしなくていい」とレーンは言った。「急《せ》いているわけじゃないから」

「カクテル・パーティーに行きたがっていたわ」

「そんなのどうだっていい」

「試合にも遅れちゃうんじゃないの?」

「だからさ、そんなのどうだっていいって言ったじゃないか。君は、えーと、あの宿はなんていったっけ、そう、『ブルー・シャッターズ』の部屋に戻って、ゆっくり身体を休めるといい。それがいちばんだ」とレーンは言った。彼は少し彼女の方に寄って身をかがめ、短くキスをした。振り向いてドアを見やり、それからまたフラニーを見た。「今日は夕方までゆっくりするんだね。大切なのは休息をとることだ」。彼は少しのあいだ彼女の腕をさすっていた。「それで、ちゃんと休んで体調が戻ったら、僕は二階の君の部屋に行けると思う。裏階段みたいなのがあるはずだ。うまく見つけるから」

　フラニーは何も言わなかった。彼女はただ天井を見ていた。

「ずいぶん久しぶりだったよね」とレーンは言った。「あの金曜日の夜は、どれくらい前のことになるかな? 考えてみれば、先月の初めだったね」。彼は首を振った。「こういうのはよくないよ、まったく。お愉《たの》しみの間隔はあまり開けない方がいい。俗な言い方をするならね」。彼はフラニーの顔をもっとまじまじと見下ろした。「本当に具合はよくなったの?」

彼女は肯《うなず》いた。そして顔を彼の方に向けた。「すごく喉《のど》が渇いている。それだけ。少しお水をいただけないかしら？　もし面倒じゃなければ」

「面倒だなんて、まさか。ところで少し席を外してもかまわないかな？　僕が何をしようとしているかわかるかい？」

フラニーは二番目の質問に対して首を振った。

「誰かに言って、水をここに持ってこさせる。それからヘッドウェイターをつかまえて、もうアンモニアを探す必要はないと言う――ついでに勘定も済ませる。それからタクシーを呼んでもらう。そうすれば道路に出て探し回る必要はないから。少しばかり時間はかかるかもしれない。大方のタクシーは今、試合に行く人たちをつかまえるために、通りを流しているからね」。彼はフラニーの手を離して、立ち上がった。「かまわないかな？」

「けっこうよ」

「オーケー。すぐに戻ってくる。動くんじゃないよ」。彼は部屋を出て行った。

一人になり、フラニーは天井を見ながら身動きひとつせず横になっていた。彼女の唇は動き始め、声にならない言葉を形づくっていった。唇はそのまま休むことなく動き続けた。

ズーイ
Zooey

これから示されるいくつかの事実が、おそらく自らを語ってくれるはずだ。しかしその語り口は、通常事実が語る語り口より、更にいくらか荒っぽいものになるかもしれない。だからその埋め合わせとして、例の出しゃばりで騒々しい世の嫌われもの――つまりは著者のかしこまったご挨拶《あいさつ》――をもって話を始めさせていただきたいと思う。今のところ私がここでお目にかけようとしているのは、我ながらいささかひるんでしまうくらい冗長で生真面目《きまじめ》であるばかりか、その上に痛々しいまでに個人的な類《たぐ》いの話だ。それなりの幸運に恵まれ、ものごとが首尾良く運べば、それはおそらくむりやり連れて行かれる機関室《エンジン・ルーム》のガイド付きツアーに肩を並べられる程度のものにはなるだろう。そして不肖この私が、古風なジャンセンのワンピース水着に身を包んで先に立ち、案内役を務めさせていただく。

いちばん言いにくいことを最初に明らかにしておきたいのだが、私が今からお目にかけようとしているのは、短編小説というようなものからは程遠く、むしろ散文によるホーム・ムーヴィーに近いものである。そしてその映像を目にした人々は口を揃《そろ》え、それを世に配給する計画を立てたりするのはよした方がいいと、私に強く忠告してくれた。その反対グループは——それを明らかにすることは私の特権にしてまた頭痛のたねでもあるのだが——本書に登場する三人の人物、まさに主人公たちによって構成されている。女性が二人、男性が一人。主演の女性をまず最初に取り上げよう。彼女はどうやら「物憂《ものう》げで洗練されたタイプ」として、さらりと描写されたいと望んでいるようだ。もし私が十五分か二十分にわたる、彼女が何度か洟《はな》をかむシーンを適切に処理していたら（つまり削除しろということなのだろうが）、まあそこそこのものにはなっていたんじゃないかと本人は考えているらしい。他人が洟をかみ続ける姿なんて、見ていて気が滅《め》入《い》るだけじゃないと彼女は言う。もう一人の出演女性は、いささかとうが立ってはいるが小洒落《こじゃれ》た軽演劇女優タイプで、私が古い部屋着姿の彼女をカメラに収めたことに異議を申し立てた。それでもこの二人の美女たち（と呼ばれたいと、二人は遠回しに示唆《しさ》した）はどちらも、私のどこまでも自己本位な企《たくら》みに自分たちが利用されることに対して、声高に文句を言い立てたりはしなかった。それはまったく恐ろしく単純な理由に——私としては赤面したくなるような理由なのだが——よるものである。つまり少しでも手厳しい、あるいは問い詰めるような物言いをしたら、私がすぐによよと泣き崩れてしまうであろうことを、彼女たちは経験的に承知していたのだ。このような企画は中止するべきだと、もっとも雄弁に私に迫ったのは、むしろ主役男性の方だった。彼は神秘主義、あるいは宗教的な神秘化がこの話の中心になっていると感じた。いずれにせよ——と彼はきっぱり意見を述べた——こういう誰の目にもあまりに明白な、怪しげな超越的要素は、ひたすら私の職業的没落を促進し、その期日を早めてしまうことだろう。彼はそれを案じていた。世間は既に私という人間に対して首を横に振っている。そしてこれ以上またすぐ「神」という言葉を職業上で使用すれば——習慣的に健康的なアメリカ人が口にする間投詞的な使用は別として——もっともたちの悪い「有名人との知り合い自慢」みたいに解釈され（というか追認され）、私は破滅への片道切符を手にすることになるだろう。これは言うまでもなく、人並みに意気地のない人間の——とりわけ文筆業者の——足を止めさせるに十分な言葉だ。確かに私の足は止まってしまう。でもあくまで一旦《いったん》停止だ。なぜなら、異議申し立ての論点というのはいかに雄弁なものであれ、それが適用される範囲においてしか有効ではないからだ。実を言えば私は十五歳のときからずっと、折に触れてはこのような散文を用いたホーム・ムーヴィーを撮り続けてきた。『グレート・ギャツビー』（これは十二歳の私にとっての『トム・ソーヤー』だった）の中で、語り手の青年がこう語っている。人は誰しも自分は「七つの徳」の少なくとも一つくらい持ち合わせていると考えるものだ、と。そして続けて言う。自分のそれは——神の恵みあれ——正直さであると思うと。私のそれは、思うに、神秘的な物語とラブ・ストーリーの違いがわかることだ。私がここで提供しようとしているのは実を言えば、神秘的な物語でもなければ、宗教的に神秘化された物語でもない。言わせていただければ、これは集合的な、ないしは複合的な、そして純粋にして入り組んだラブ・ストーリーである。

　加えてプロット・ラインそのものについて言えば、それは神聖とは言いかねる共同作業に負うところが大である。以下に続く（そろそろと物静かに続く）事実のほとんどはもともと、その三人の出演者・登場人物たち本人から——私にしてみればそれなりに痛切な個人的面談をとおして——おそろしく長い間隔のあいた連載もののよろしく、ひとつまたひとつと順次私にもたらされたものだ。そしてその三人のうち誰一人、細部の簡潔化やエピソードの圧縮みたいなことに卓越した才能を発揮してくれるものはいなかった——ということを私としては付記しておきたい。その欠陥はこの最終稿（あるいは劇場公開版）にまで持ち込まれることになるのではないかと、私は危惧《きぐ》する。それに関しては遺憾ながら弁解の余地はないわけだが、ひとつ説明させていただきたいことがある。それは我々は全員——つまりこの四人はということだが——血縁関係にあり、それぞれが家族内だけで通じる一種の秘儀的言語を用いて、言うなれば意味論的な幾何学（そこでは任意の二つの点を結ぶ最短の距離は完全に近い円を描く）を用いて会話しているということだ。

最後にもうひとこと。我々の家族の姓はグラスである。このグラス家で最年少の弟が、とてつもなく長文の手紙を読んでいるシーンを間もなくお目にかけることになる（その手紙は全文しっかり掲載されるので、ご心配なく）。それは現存するいちばん上の兄であるバディー・グラスが書き送った手紙だ。その手紙の文体には、語り手である私の文体に、あるいは文章の癖に、たまたまという表現では収まりきれないほど明白な類似が認められるらしい。となれば読者の中には、その手紙の書き手と私は同一人物であろうという、性急な結論に飛びつかれる方も数多くおられるに違いない。まあやむを得ないことだとは思うし、また当を得た飛びつきでもあろう。それでもここでは、今後もこのバディー・グラスを三人称のままに留めることにする。少なくとも私には、彼をその位置から外す正当な理由が思いつけないのだ。

一九五五年十一月の月曜日の朝、十時半、ズーイ・グラス（二十五歳の青年）はお湯をたっぷりはった風呂《ふろ》につかり、四年前に書かれた手紙を読んでいた。ほとんど無限に続くように見える手紙で、黄色の便箋《びんせん》に、何ページにもわたってタイプされている。彼はそれを、ふたつの島嶼《とうしょ》のごとく水面に顔を出す乾いた膝小僧《ひざこぞう》に立て掛け続けることに、いささかの困難を覚えている。彼の右手には琺瑯《ほうろう》の作り付け石鹸《せっけん》置きがあり、湿り気を帯びたように見える煙草《たばこ》が、端っこに危なっかしく置かれているが、ときどきそれを手に取り、手紙から目を逸《そ》らすことなく一度か二度煙を吸い込んでいるところを見ると、どうやら火はまだ消えていないらしい。灰はどうしてもお湯の中に落ちる。直接落ちることもあれば、手紙にいったん載ってから落ちることもある。そういう乱雑なまわりの状況が、彼には気にならないらしい。ただひとつ、微《かす》かにではあれ意識することがあるとすれば、それはお湯の熱が彼に脱水状態をもたらし始めていることのようだ。そこに腰を据えて、手紙を読む（あるいは読み返す）時間が長くなればなるほど、彼はより頻繁に、より意識的に、手首の裏の部分で額と上唇の汗をぬぐうことになった。

ズーイを語るにあたっては、早々と申し上げておけば、我々は錯綜《さくそう》したもの、部分的に重なり合ったもの、分割されたものを取り扱うことになるわけだが、少なくともふたつばかり、身上調査的なパラグラフを今ここにはさみ込ませていただく。まずだいいちに、彼は小柄な青年であり、身体《からだ》は極端なまでにほっそりしている。後ろから見ると——とりわけ背骨が見えているあたりは——大都市の貧困家庭の子供たちの一人と言っても通用するかもしれない。夏になると、陽光を浴びて肉をつけるために慈善キャンプに送られるような子供たちだ。カメラが接近して、その顔を正面から、あるいは横から捉《とら》えるが、いずれの角度から見ても、彼は並外れて顔立ちが良い。というか、思わず息を呑《の》むほどハンサムだ。彼の姉（本人は謙虚に自らを「タカホー（訳注 東部ヴァージニア人のこと）の主婦」と名乗っている）は彼のことを「目の青い、ユダヤ・アイルランド系のモヒカン族の斥候《せっこう》で、モンテカルロのルーレット台の上で、あなたの腕に抱かれて死んだ」と書いておいてほしいと、私に頼んだ。より一般的な、身贔屓《みびいき》を厳正に排した表現をとるなら、片方の耳がもう片方に比べて僅《わず》かにより突きだしていることによって、その顔はハンサムすぎることを——絢爛《けんらん》華麗すぎるとまでは言わないが——かろうじて免れている、ということになる。でも私自身は、そのどちらとも大いに異なる意見を持っている。私に言わせてもらえば、彼の顔はたしかに完全な美形に近い。だからこそそれは言うまでもなく——まっとうな美術品が受けるのと同じような——軽薄にして怖《おそ》れを知らぬ、だいたいはうわべだけの雑多な鑑定評価に危なっかしく晒《さら》されることになった。あとひとつだけ述べておけば、日常のうちに無数に潜んでいる危険のひとつでも実際に起こっていれば（たとえば車の事故とか、鼻風邪とか、朝食前の嘘《うそ》とか）、そのような天与の美形は、一日かあるいは一秒のうちに変形させられるか、あるいは下卑たものになっていたかもしれない。しかし何をもってしても減じられることのないものは、そして既に平明に示唆されているように、いわば「永遠なる歓《よろこ》び」となっているのは、彼の顔全体に焼き付けられている本物の才気《エスプリ》だった。とくにその目に具《そな》わる才気の煌《きら》めきは、アルルカンの仮面のごとくしばしば人の心を捉え、場合によってはそれにも増して人を当惑させた。

職業的に言えばズーイは俳優であり、これまで三年あまり主演男優としてテレビ番組に出演してきた。実際のところ彼は、映画やブロードウェイで既に全国的な名声を得ているスターが副業としてテレビに出演する場合を別にすれば、「テレビ番組の若き主演男優」としてまず破格にひ、っ、ぱ、り、だ、こであり、また家族の耳に届いた不確かな伝聞情報によれば、破格に高額の報酬を得ているということだ。しかしそのような状況だけを、事情説明抜きでさらさら述べてしまうと、ずいぶん単純な話として受け取られてしまいそうだ。実を言えば、ズーイが公衆の前に正式に、また真剣に「演技者《パーフォーマー》」としてデビューしたのは、まだ七歳のときである。彼はもともとは七人いた兄弟姉妹の、下から二番目の子供だった。*五人の男の子と二人の女の子。彼らは子供時代にそ

＊脚注というのは美的見地からすると誠に興ざめなものだが、それでもやはりここでひとつ差し挟まないわけにはいかない。本書にはこのあと、七人の子供たちのうちのいちばん年若い二人しか、直接的には登場しない。しかしながら残りの年長の五人はかなり頻繁に、このプロットにひそやかに出没することになる。まるでバンクォーの亡霊（訳注『マクベス』に出てくる）がうようよいるみたいに。そのようなわけで読者諸賢はまず最初に、一九五五年時点においては、グラス家の子供たちの最年長であるシーモアが亡《な》くなってから約七年が経過していることを、知っておかれた方がいいかもしれない。彼は妻と共にフロリダに休暇旅行をしているときに自殺した。もし生きていたら、一九五五年には三十八歳になっていたはずだ。二番目に年長のバディーは、大学用語で言えば「ライター・イン・レジデンス（大学在籍作家）」という肩書きで、ニューヨーク州北部にある女子短期大学に所属している。彼はかなり高名なスキー場から四分の一マイルほど離れたところにある、冬のための設備もなければ、電気も通じていない小さな家に一人で住んでいる。三番目の子供、ブーブーは結婚して三人の子供の母になっている。一九五五年十一月には彼女は夫と、三人の子供全員をつれてヨーロッパ旅行をしているところだ。年齢順にいけば、ウォルトとウェイカーの双子がブーブーに続く。ウォルトが亡くなって十年になる。彼は陸軍兵士として日本に進駐してい

るときに、つまらない爆発事故のために死んだ。彼の十二分後に生まれたウェイカーは、ローマ・カソリックの司祭になり、一九五五年十一月には、イエズス会の会議か何かに出席するためにエクアドルにいた。

それぞれ、適度の間隔をはさんで時期をずらし、ラジオのネットワーク番組にレギュラー出演していた。『イッツ・ア・ワイズ・チャイルド（なんて賢い子ども）』というクイズ番組だ。最年長のシーモアと、最年少のフラニーの間には、おおよそ十八年の年齢差がある。そんなわけでグラス家は『ワイズ・チャイルド』のマイクロフォンの前に、ほとんど世襲的とも言えそうな席を確保することになった。彼らの出演は一九二七年から一九四三年まで、十六年以上続いた。つまりチャールストンからB－17爆撃機の時代までをカバーしているわけだ（このようなデータはそれなりに大事な意味を持っていると私には思える）。彼らがその番組でそれぞれ活躍した時期のあいだには空白や、年月の隔たりがあるものの、少数の些細《ささい》な相違点を別にすれば、その七人の子供たちはすべて同じように、夥《おびただ》しい数の質問に対して――それらはリスナーから送られてきたもので、ひどく堅苦しい質問とひどく可愛《かわい》らしい質問が交互に出てきた――溌剌《はつらつ》と、また落ち着き払って回答した。それは商業ラジオ番組としてはずいぶんユニークなものと見なされた。子供たちに対するリスナーの反応が生ぬるいものであったためしはなく、しばしば熱を帯びたものになった。一般的に言って、リスナーは奇妙に頑迷な二つの陣営に分かれた。一方はグラス家の子供たちは耐えがたいほど「鼻高々の」連中であり、生まれたときに水に沈めるか、ガスをかがせるかして始末するべきだったと考える人々であり、もう一方は、彼らは本物の神童にして賢者であり、うらやましいとは思わないまでも、間違いなく傑出したものを持っていると主張した。この文章を書いている時点でも（一九五七年だ）、七人の子供たち一人一人の、それぞれの発言の多くを、おおむねのところ驚くべき正確さをもって記憶している『イッツ・ア・ワイズ・チャイルド』のかつてのリスナーがいる。そのようなグループはさすがに層が薄くなりつつあるものの、いまだに一風変わった同人的なグループを形成しており、グラス家の子供たちの中では、一九二〇年代後期から三〇年代初期にかけて活躍した長兄のシーモアがもっとも「聞き応《ごた》え」があり、もっともむらなく「感心させられた」というのが、彼らのあいだでの合意事項になっている。シーモア以降では、一般的には好感度とアピール度において、末弟のズーイが二位につけている。そして我々はここでは、ズーイにごく実際的な関心を抱いているわけだから、このように言い切ってしまって差し支えあるまい。『イッツ・ア・ワイズ・チャイルド』のかっての回答者として、ズーイはほかの兄弟姉妹に引けを取らず（あるいは彼らを凌駕《りょうが》して）、一時代を画するだけの独自性を有していたのだと。彼らがラジオ番組に出ていたあいだ、七人の子供たち全員が皆一度や二度は小児精神科医や職業的教育家といった、きわめて早熟な子供たちに特別な関心を持つ連中の格好の餌食《えじき》になった。このような大義名分のために、あるいはお務めのために、すべてのグラス家の子供たちの中でもっとも熱心に執拗《しつよう》に検査をされ、インタビューされ、いじり回されたのは、異論の余地なくズーイだった。誰がどう見ても、そして私の知る限りひとつの例外もなく、そのような様々に分散した領域（医学、社会学、通俗的心理学）で受けた体験は、本人にとって高くつくものになった。彼が検査を受けた場所は一様に、高い伝染性を持つトラウマだか、あるいは昔ながらのお馴染《なじ》みの細菌だかに汚染されていたみたいだ。ひとつ例をあげるなら、一九四二年に彼は（当時陸軍に入営していた二人の年長の兄がその後一貫して非難しつづけたのだが）ボストンで五度、あるリサーチ・グループによるテストを受けた。ひとつのグループが五度にわたって異なったテストを行ったのだが、それらのテストのために列車に乗ってボストン＝ニューヨーク間を往復できることが（全部で十回列車に乗れる）、当時十二歳前後のズーイには、少なくとも最初のうちは魅力的に思えたのだろう。それら五つのテストの主たる目的はどうやら、もしそんなことが可能であるならだが、ズーイの早熟な才知と想像力の源泉を分離して抜き出し、細かく検証することであったようだ。五度目のテストが終わると、被験者は三、四錠のアスピリンの入った浮き彫り印刷文字つきの封筒とともに、ニューヨークの自宅に送り返されてきた。アスピリンは鼻風邪のためということだったが、それは鼻風邪どころか実は気管支肺炎であったことが判明した。六週間ほど後に、夜中の十一時半にボストンから長距離電話がかかってきた。どこかの公衆電話からかけているらしく、硬貨がぱたぱたと落ちる音が聞こえた。そして素性不明のその誰かの声は——意図的なものではあるまいが、衒学的《げんがく》道化のような響きがそこには聞き取れた——グラス夫妻に向かって、息子さんのズーイは十二歳にして、必要とあらば、メアリ・ベイカー・エディー（訳注 クリスチャン・サイエンス教会の創始者）とまったく同じだけの英語の語彙《ごい》を用いることができますと報告した。

話をもとに戻そう。一九五五年の十一月の朝にズーイがバスタブに持ち込んだタイプされた長文の手紙は、この四年間ことあるごとに封筒から出し入れされ、何度も開かれたり折りたたまれたりしたらしい。おかげでそれは「くたびれた」状態にあるに留まらず、主に折り目に沿って何ヶ所かで文字通り裂けている。この手紙を書いたのは前にも述べたとおり、ズーイにとっては現存する最年長の兄バディーである。手紙そのものは実に果てしなく長いものだ。なにしろ言葉が過剰で、教え諭すようで、繰り返しが多く、独善的で諫《いさ》めに満ち、腰の低さが鼻につき、読んでいて居心地が悪くなる代物《しろもの》だ――それでいながらうんざりするほど情愛に満ちている。要するにそれは受け取った人間が、好むと好まざるとにかかわらず、ズボンのヒップ・ポケットに入れてしばらくのあいだ持ち運ばざるを得ないような類《たぐ》いの手紙であり、またある種の職業的文筆家が、そのまま逐語転載したくなる類いの手紙だった。

一九五一年三月十八日

ズーイに

今朝、母さんから届いた長文の手紙をようやく解読し終えたところだ。そこに書かれていたのはおまえのこと、アイゼンハワー将軍の笑顔、『デイリー・ニューズ』に出ていたエレベーター・シャフトに落ちた小さな子供のこと、僕がいつニューヨークの専用電話を処分してこの田舎に電話をひくのか（そこでこそ電話がまさに必要とされているのに）ということ、それくらいだ。世界広しといえど、目に見えないイタリックを使って手紙を書ける女性は、母さんの他にはまずいまい。ああ、ベッシー。正確に三ヶ月ごとに僕は彼女から、僕の可哀《かわい》そうな古い専用電話について、もう誰ひとり触りさえしない電話に毎月「大金」を払い続けていることの愚について、五百語に及ぶ手紙を受け取っている。でもそれはとんでもない言い掛りだ。というのは「街」に帰ると僕はいつも、古い友人である死の神ヤマと、その電話で何時間も話をするからだ。そして僕らのそのささやかなおしゃべりには、どうしたって専用電話が必要なのだ。いずれにせよ、母さんに伝えておいてくれ。僕の気持ちは変わらないということを。僕はあの古い電話をなにより愛している。あれはシーモアと僕が、ベッシーのキブツの中でなんとか確保することのできた、真に私有財産と呼べるただひとつのものだ。そしてまた、ろくでもない電話帳に毎年変わらずシーモアの名前が掲載されているのを目にするのは、僕の内的調和にとって不可欠なことでもある。僕はGのページをひるむことなく堂々と繰りたいんだ。だから、お願いだから、母さんに僕のメッセージを伝えてくれ。一語一語そのままじゃなくていい。かどが立たないようなかたちで伝えてくれればいい。そしてできることなら、ベッシーに対してもう少し優しく接してやってくれ、ズーイ。僕がそう言うのは、彼女が僕らの母親だからってだけじゃない。そうじゃなくて、彼女がくたびれているからだ。三十歳かそのへんを過ぎたら、人は誰しも（おまえだって、たぶん）少しばかりスローダウンしていくものだし、その頃には母さんに対してもうちょっと優しくできるようになるだろう。でも今はまだ意識してそうしなくちゃいけない。アパッシュ・ダンス（訳注　アパッシュはパリのならず者の総称。彼らが女に対して残忍に振る舞う様をダンスにした）の踊り手が相方に対して示すみたいに、残忍さの中に愛を忍ばせて接するだけでは——ちなみに彼女は（おまえがどう思うにせよ）そのへんのことをちゃんとわかってはいるけれど——十分とはいえない。彼女はレスに負けず劣らず、感傷性を糧《かて》として生きているのだし、そのことを忘れちゃいけない。

僕の電話の問題を別にすれば、ベッシーの最近の手紙には、ほとんどズーイくんの話しか出てこない。僕がここでおまえに向かって説くことを期待されているのは、おまえには「前途洋々たる人生」が控えており、おまえが本格的に俳優としての道を進み始める前に博士号をとっておかなかったら、それはまさに「犯罪的」であるということだ。どの分野でおまえに博士号をとってもらいたいのか、母さんは口にはしない。でもたぶんギリシャ語よりは数学の方がいいと考えているみたいだ（おまえときたら、とんでもない学問おたくだな）。いずれにせよ、もし何らかの理由で俳優業がうまくいかなくなったときに、おまえが「頼れる」ものを持っているというのが、どうやら母さんの求めていることであるようだ。それはきわめて手堅い考えかもしれないし、たぶん実際にそうなんだろうが、僕としては全面的にそれに賛同する気にはなれない。僕を含めた家族全員を望遠鏡の反対側から覗《のぞ》いているような一日がときどきあるんだが、今日はたまたまその日にあたるんだ。実を言うと僕は、今朝郵便受けから郵便を取り出し、その差出人のところにベッシーという名前があるのを目にして、それが誰だか思い当たるまでにかなり考え込まなくてはならなかった。僕がそんな風になるにはなるだけの十分な理由がある。なにしろ「上級創作講座・24―A」の学生が書いた三十八に及ぶ短編小説を抱え込んでいたからだ。僕はそれを週末に読み上げるべく、涙ながらに家まで担《かつ》いでこなくてはならなかった。そのうちの三十七篇はおそらく、ひっそりと内気に生活を送る、ペンシルヴェニア・ダッチのレズビアンが主人公の話だろう。彼女は「何かを書きたい」と思っている。話は一人称で書かれ、語り手は好色な作男。語り口は土地の方言だ。

　おまえもよく知っていると思うが、ここのところ僕はいわば文学的娼婦《しょうふ》として、大学から大学へと狭い個室を渡り歩いている。そしてまだ学士号さえとっていない。もうかれこれ一世紀も前のことに思えるが、僕が学位を取らなかったのにはそもそも二つの理由があったと思う（頼むからそわそわしないでくれ。僕がおまえに手紙を書くなんて、もう何年もなかったことなんだから）。第一には、大学時代の僕はかなりのスノッブだったからだ。まあ『ワイズ・チャイルド』のかつての出演者で、英文学の分野に将来延々と身を置こうかという学生にせいぜいお似合いの気取り方だったけどね。そして僕としては、ろくに教養もない知識人やら、ラジオのアナウンサーやら、かすみたいな教育者やらをさんざん目にしてきて、あんなやつらがごっそり学位を持っているのなら、学位なんてほしくもないやと考えるようになっていた。第二には、シーモアは普通のアメリカ人なら高校を出たか出ないかというくらいの歳《とし》で、既に博士号を取得していた。そして同じ道筋で彼に追いつくのはもう手遅れだったから、それならこっちは学位なんているものかと思った。また当たり前のことながら、おまえくらいの歳のときには、自分が教師になることを余儀なくされるなんて思いもしなかった。もしミューズ神が僕に微笑《ほほえ》まなくなったら、どこかに行って切々とレンズ磨きでもしようと思っていた。ブッカー・T・ワシントン（訳注 アメリカの黒人教育者）がそうしたみたいにな。しかしいかなる意味あいにおいても、アカデミックな経歴に関して自分が後悔しているとは思わない。とはいえ気持ちが暗くなる日々には、とれるときにたっぷり学位をとっておけば、「上級創作講座・24－A」みたいなぱっとしない学生相手の、夢も希望もない講座を抱えていたりはしなかったかもな、と自らに問うこともないではない。でもそんなのはたぶん世迷言《よまいごと》だ。職業的耽美《たんび》主義者に対して、カードはあらかじめ不利に仕組まれているのだ（感心するくらい実にぴったりと）。そして僕らは遅かれ早かれみんな、暗く饒舌《じょうぜつ》なる学究的な死を迎えることになるし、そのへんがまさにお似合いだろう。

おまえの置かれた状況は、僕のそれとはずいぶん違っていると思う。いずれにせよ、僕は必ずしもベッシーと意見を同じくするわけではない。もしおまえが安定を求めているのなら、あるいはベッシーがおまえのためにそれを求めているのなら、おまえが既に持っている修士号だけで事足りるはずだ。少なくともそいつがあればいつだって、アメリカ全国に散らばる荒涼たる男子プレップ・スクールのどこででも、あるいは大半の大学で、対数表を配る資格がおまえに与えられる。一方おまえのその美しいギリシャ語だが、もし博士号を持たなければ、肩書がものをいうこの世間では、まっとうなサイズのキャンパスを有するどの大学からもまずお呼びはかかるまい（むろんおまえはいつだってアテネに行くことができる。陽光溢《あふ》れる懐《なつ》かしのアテネに）。しかしそういうことについて考えれば考えるほど、これ以上の学位がおまえに必要だなんて、どうにも馬鹿《ばか》げたことに思える。今だから言うけれどおまえの小さい頃、もしシーモアと僕がおまえの「自宅読書用推薦図書」の中に「ウパニシャッド」だとか「金剛般《はん》若経《にゃきょう》」だとかエックハルト（訳注 ドイツ神秘主義者）の著作だとか、その他僕らがかつて夢中になった本を何冊か混ぜておいたりしなかったら、おまえは今より遥《はる》かに順応性の高い俳優になっていたはずだ。そもそも俳優というのは身軽に旅するべきものなんだ。シーモアと僕は小さい頃、ジョン・バリモアと楽しい昼食を共にしたことがある。バリモアはとても頭が切れ、知識に満ちていたが、高等教育なんていう厄介なお荷物は抱えていなかった。僕がこんな話を持ち出したのは、この週末にずいぶんお高く構えた東洋学者に会って話をしたからだ。会話の途中でひときわ深い、形而上《けいじじょう》学的な静謐《せいひつ》が訪れたとき、僕は言った。うちの弟は「ムンダカ・ウパニシャッド」の古代ギリシャ語訳を試みることで、失恋の痛手をなんとか乗り越えられたんですよと（彼はそれを聞いて大笑した。東洋学者がどんな笑い方をするかわかるだろう）。

俳優としてのおまえがどんな道を歩むことになるのか、それが僕にわかればなと思う。おまえには間違いなく俳優としての資質が生来具《そな》わっているし、それは我らがベッシーだってよく知っている。そしておまえとフラニーは疑いの余地なく、我々の家族の中では例外的な美男美女だ。でもおまえはいったいどこで演技をするつもりなのだ？　それについて考えたことはあるか？　映画か？　もしそうだとしたら、僕の顔は少し曇ることになる。あといくらか肉づきが良くなったら、おまえはそこらへんの若手俳優と同じに、ハリウッドお手の物の「混合物」となってしまうんじゃないかと案じざるを得ないんだ。それはボクシング選手と神秘主義者の混合であり、ガンマンと恵まれない子供の混合であり、カウボーイと「人間の良心」との混合だ。そんなお決まりの大衆向け感傷主義がおまえに果たして我慢できるだろうか？　それともおまえはもう少し壮大なものを夢見るのだろうか？　たとえば『戦争と平和』のテクニカラー版で、ピエールかアンドレイを演じるとか。そこには圧倒的な戦闘シーンがあり、すべてのニュアンスとか人物の陰影はそっくり省かれ（あまりに小説的過ぎて、映像には向かないという理由で）、そしてアンナ・マニャーニがナターシャ役に抜擢《ばってき》され（その作品が高級かつ「誠実」であることを示すために）、きらびやかな背景音楽がドミトリ・ポプキンによって作曲され、主演級男優はみんな、自分たちが感情的ストレス下にあることを示すために、ひっきりなしに顎《あご》の筋肉をさざ波のごとく震わせる。そして世界初公開はニューヨークのウィンター・ガーデン劇場で行われる。スポットライトを浴びて、モロトフとミルトン・バールとデューイ知事が、劇場に入場してくる有名人を紹介する。もちろんみんなお馴染みのトルストイ好き有名人たちだ。ダークセン上院議員、ザ・ザ・ガボール、ゲイロード・ハウザー（栄養学者　一八九五―一九八四）、ジョージー・ジェッセル（喜劇俳優・歌手　一八九八―一九八一）、チャールズ・オブ・ザ・リッツ（当時のカリスマ美容師）。そういうのについていけるのかな？　そしてもし演劇の道に進むとして、おまえはそこに幻想を抱いているのか？　おまえはこれまでに、そうだな、たとえば『桜の園』の、本当に素晴らしいと思える舞台を見たことがあるか？　あるなんて言わないでくれよ。というのは、誰一人そんなもの見たことがないからだ。おまえは「印象的な」舞台や、「なかなか健闘している」舞台を目にしたことはあるかもしれない。でもこれは文句なく見事だと言えるものはまだ目にしていないはずだ。チェーホフの偉大な才能が、ニュアンスのひとつひとつ、表現のひとつひとつにいたるまで、舞台の上のすべての人物によって引き出されたことなんて、ただの一度もないんだ。ズーイ、おまえのことを考えると僕はひたすら心配になってしまう。仰々しい物言いはさておき、悲観主義的なところは大目に見てくれ。でもな、僕は知っているんだ。おまえがひとつのものごとからどれほど欲深く成果を要求するかということを。そして僕は、おまえの隣に座って芝居を鑑賞するという惨《みじ》めきわまりない体験をしたこともある。おまえが舞台芸術から、今となっては求めるべくもない何かを求めている様子がまざまざと目に浮かぶ。お願いだからどうか、くれぐれも注意を怠らないでくれ。

今日たしかに僕は少し変になっているかもしれない。僕は神経症患者的に暦を細かく追って生きているのだが、それによればシーモアが自殺を遂げて、今日できっかり三年になる。僕が彼の遺体を引き取るためにフロリダまで行ったとき、どんなことがあったかおまえに話したっけ？　僕は飛行機の中で五時間ぶっ続けにおいおい泣いていた。通路の向こうの席の人に泣いていることがわからないよう、気をつけてときどきヴェールを直していたけどね。幸いなことに隣は空席だった。飛行機が着陸する五分前に、後ろの席から会話の声が聞こえた。女がこう言っていた。ボストンのバック・ベイの住人にしか出せない気取った声に、ハーヴァード・スクエア風の知的な響きがたっぷり混じっていた。「……それでねその翌朝、いいこと、彼女のその若く美しい身体《からだ》から、膿汁《うみ》が一パイント抜き取られたわけ」。覚えているのはそのひとことだけだ。でも数分後、僕が飛行機から降り、バーグドルフ・グッドマン製の黒い高級ドレスに身を包んだ「夫を亡《な》くしたばかりの夫人」がこちらに近づいてきたとき、僕はその場に「そぐわない表情」を顔に浮かべていた。つまりにやにやしていたわけだ。そのときとまさに同じ気分を今日、とくにわけもなく感じている。馬鹿な話だが、僕は確かにこう感じるんだ。どこかこのとても近くで――おそらくひとつ先の家で――優秀な詩人が死を迎えている。しかし同時にやはりこのすぐ近辺で、若い女性がその美しい身体から膿汁をたっぷり一パイント抜かれているんだって。そして僕としても、悲しみと大歓《よろこ》びとの間を永遠に忙《せわ》しく行ったり来たりしているわけにはいかないんだ。

先月のことだが、シーター学部長（その名前を僕が口にすると、フラニーはいつも大喜びする）が優雅な微笑みを浮かべ、牛追い鞭《むち》を手に僕のところにやってきた。おかげで僕は今、教授連と彼らの夫人たちと、思い詰めたような顔をした何人かの堅物学部生を相手に毎週金曜日、禅と大乗仏教についての講義をする羽目になった。やがてその功あって、僕がこの地獄で東洋哲学科教授の地位を獲得するであろうことに疑いの余地はない。話のポイントはつまり、僕は今では週に四日ではなく、五日学校に出なくてはならなくなったということだ。そして毎日の夜と週末は自分の書き物の仕事にあてなくてはならない。つまりゆっくり自由にものを考える時間が、僕にはもうほとんど残されていないのだ。おまえとフラニーについて、僕は時間の余裕さえあればあれこれ案じている。しかし残念ながら、泣き言を言いたくはないが、その時間の余裕は十分というにはほど遠いものだ。僕が本当に言いたいのは、今日こうして灰皿の海の中でおまえに手紙をせっせと書いているのは、ベッシーからの手紙とはほとんど関連がないということだ。彼女は毎週のように、おまえとフラニーについての重要情報を送ってくるが、そんなものどこかにうっちゃってある。だから話はそういうことじゃないんだ。この手紙を書いているのは、今日僕が近所のスーパーマーケットで体験したことのせいだ（改行はなし。手短かにいこう）。僕は肉売り場のカウンターに立ち、リブのラムチョップを切ってもらうのを待っていた。若い母親と小さな女の子もやはり同じところで待っていた。女の子は四歳くらいで暇をもてあまし、ガラスのショーケースにもたれて僕の無精髭《ぶしょうひげ》のはえた顔を見上げていた。僕が今日目にした女の子の中では君がたぶん最高に可愛《かわい》いね、と僕は彼女に言った。それは彼女にとっても納得のいく見解であったらしく、こくんと肯《うなず》いた。君にはきっとたくさんボーイフレンドがいるんだろうな、と僕は言った。同じ肯きが返ってきた。何人くらいボーイフレンドがいるのと尋ねると、彼女は指を二本上げた。「二人か！」と僕は言った。「ボーイフレンドが二人。そいつはたくさんだね。その子たちの名前を教えてくれる？」。彼女はつんざくような声で言った。「ボビーとドロシー」。僕は羊肉をつかんで、そのまま駆け出したよ。まさにそういう出来事が、僕にこの手紙を書かせている。博士号と俳優業のことでおまえに何か意見してくれと、ベッシーにしつこく頼まれたからではなく。もうひとつは、シーモアが拳銃《けんじゅう》自殺した部屋で見つけた俳句風の詩のせいだ。それは机の上の吸い取り紙に鉛筆で書かれていた。「僕を見ようと／人形の首を回した／飛行機の少女（The little girl on the plane/ Who turned her doll's head around/ To look at me.）」。その二つが頭にあって、スーパーマーケットから車を運転して家に帰るあいだ、こう思ったんだ。そろそろおまえに手紙を書いて、事情を話してもいい時期が来たのではないのかと。つまりSと僕とが何故、ずいぶん早い時期にずいぶん高飛車に、おまえとフラニーの教育係を進んで引き受けることになったかということについてだ。それについて一度も言葉にしておまえに説明はしなかったが、おそらく僕らのどちらかが、そうするべき時期なのだろう。でも今、僕にそれができるかどうかもうひとつ自信がない。肉売り場の少女はもういないし、飛行機に乗った小さな人形の澄ました顔もよく見えない。そして職業的作家であることのお馴染《なじ》みの恐怖が、それにつきものの言葉の悪臭とともに、僕を落ち着かなくさせる。でもここはひとつがんばってやってみよう。それはきわめて大事なことに思えるから。

家庭内での年齢差がいつも必要以上に、また手に負えないくらい問題を大きくしているように見える。Sと双子とブーブーと僕との間では、とくにそういうことはない。しかしおまえとフラニーの二人組と、Sと僕の二人組との間では、そいつが問題になる。おまえとフラニーが読み書きを覚える頃には、シーモアと僕はもう成人していた。シーモアはとうの昔に大学を卒業していた。その時点では僕らには、自分たちの愛好する古典作品をおまえたちに押しつけようというつもりすらなかった。少なくとも双子たちやブーブーに対してやったみたいに、熱い思いをもってしてはね。生まれながらの学者を無知なままに留めてはおけないことくらい僕らにもわかっていたし、また本当の心の底では、そんなことをしたいという欲求もなかった。でも僕らは神経質になっていたし、むしろ怯《おび》えてさえいた。いわゆる神童やらアカデミックな物知りたちが、成人したあと、大学の研究室という遊戯室でただのサヴァンになり果てる例が数多いことを知っていたからだ。でもそれよりも更に遥かに大事だったのは、シーモアは既にこう信じるようになっていたということだ（論点がちゃんと見えている限り、僕もまた彼の意見に賛同していた）。つまり教育と名の付くものは何であれ、それが「知」の獲得から始まるのではなく、禅が教えているように「非知」の獲得から始まっても、同じくらい甘美なものに――いや、おそらくは遥かに甘美なものに――なり得るはずだと。鈴木博士（鈴木大拙）がどこかで述べていたが、純粋な意識下、つまりサトリの境地にあっては、人は「光あれ」と口にする以前の神と共にいるのだ。シーモアと僕はその光を、またあまたあるより低次元の、よりファッショナブルな照明効果――芸術、科学、古典、語学――のすべてを、おまえとフラニーから（少なくとも僕たちにできる限り）遠ざけておくのは、善きことではないかと考えた。少なくとも精神がすべての光の源泉を知るというのがどのような境地であるかを、おまえたち二人が理解できるようになるまではということだが。そういう境地のあり方について何らかを、あるいはすべてを把握している人々――いろんな聖人たち、阿羅漢《あらかん》たち、菩薩《ぼさつ》たち、ジヴァンムクタ（訳注　生きながら解脱している魂）たち――についての僕らが持っている知識を、おまえたちにたとえ少しでも語ることができたなら、それは素晴らしく建設的なことであるだろう（もちろんそこに僕ら自身の「限界」が立ちはだからなければということだが）と僕らは考えた。つまりおまえたちがホメロスやシェークスピアや、更にはブレイクやホイットマンについてあまりにも——あるいは少しでも——知る前に、ましてやジョージ・ワシントンと桜の木の話やら、半島の定義やら、センテンスの文法的構造なんかについて教えられる前に、イエスや仏陀《ぶっだ》や老子やシャンカラ（訳注 八世紀のインドの哲学者）や慧《え》能《のう》（訳注 中国の禅僧。六三八－七一三）や聖ラーマクリシュナ（訳注 十九世紀インドの聖者）なんかがいかなる人々で、どんなことを成し遂げたのか、そういうことを知っておいてもらいたかったのだ。それがとにかく核となる目論《もくろ》見《み》だった。それと同時に僕がここでひとつ言いたいのは、Sと僕とが定期的にこのような家庭内セミナーを催し、とりわけ形而上学的な論議をおこなっていた歳月を、おまえがどれほど苦々しく思っているか、僕はよく知っているということだ。いつの日か——できれば二人ともぐでんぐでんに酔っているときが望ましいが——それについて腹蔵なく話すことができればと思う（ちなみに、ひとつ言えるのは、シーモアも僕もその当時は、おまえが大きくなって俳優になるなんて考えもしなかったということだ。もちろんそこまで思いなすべきだったんだろう。でも不覚にして考えが及ばなかった。もし考えていたら、Sは間違いなくそれについてもっと建設的な何かを試みていたはずだ。きっとどこかに俳優のためだけに特別設けられた、涅槃《ねはん》や各種東洋思想の補習コースみたいなのがあって、Sはそれをぬかりなく見つけていたに違いない）。このパラグラフはここで終わるべきなんだが、うまく語りやめることができず、そのまま続ける。このあとに来るものに、おまえは辟易《へきえき》して身をよじるかもしれないが、しかしそいつを避けて通るわけにはいかないのだ。Sが死んだあと僕が、おまえとフラニーがどうしているか、時折様子を見に行きたいと切に思っていたことは、おまえもたぶん知っているはずだ。おまえはもう十八歳になっていたから、僕としてはそれほどは心配しなかった。もっとも、僕の受け持ちのクラスにゴシップ好きのこましゃくれた女子学生がいて、その子がおまえについての噂《うわさ》を教えてくれたんだが、それによるとおまえはときどき大学の寮を抜け出して、十時間くらい通しで瞑想《めいそう》に耽《ふけ》っているということだった。それを聞いたときには、僕もいささか考え込んでしまったよ。でもそのときフラニーはまだ十三歳だった。ところが僕はただ単純に腰を上げることができなかった。家に帰るのが怖かったんだ。僕が怯えていたのは、おまえたち二人が涙にくれながら部屋の両端に陣取り、マックス・ミュラーの『東方聖典叢書《そうしょ》』全巻を僕にむかって、一冊一冊投げつけてくる光景を目にすることではなかった（それはおそらく僕にマゾヒスティックな恍惚《こうこつ》をもたらしてくれただろう）。何より恐れていたのは、おまえたち二人が僕に向かって投げかけてくるかもしれない質問だった（それは告発よりも遥《はる》かに恐ろしかった）。よく覚えているが、葬儀のあとまるまる一年間、僕はニューヨークの家には足を向けなかった。でもそのあとは割に楽に、誕生日や休日になれば帰宅できるようになった。そこで浴びせられる質問も、次作はいつ完成するのかとか、最近スキーはしているかとか、その程度のものでしかないことがわかってきたからね。そしてこの二年ばかり、おまえたちはどちらも、週末になるとちょくちょくこちらに遊びにやってきた。そんなとき我々はずいぶん熱心に話し込みはしたものの、それでも肝心のことは何ひとつ口にしないという合意みたいなものが結ばれていた。こうやって腹にあることをはっきり口にしたいと思ったのは、今日が初めてだ。しかしこのろくでもない手紙を書き進めていけばいくほど、僕が確信を持って抱いていた勇気はだんだん失われていく。しかし誓って言うが、今日の午後、その女の子が自分のボーイフレンドの名前はボビーとドロシーだと言ったまさにその瞬間に、完璧《かんぺき》なまでに伝達可能なひとつのささやかな真実のヴィジョン（ラムチョップ部門）を僕は得たのだ。シーモアがかつて僕に——よりによってマンハッタンを横断するバスの中でだぜ——こう言ったことがある。すべてのまっとうな宗教的探求は差違を、目くらましのもたらす差違を忘却することへと通じていなくてはならないんだと。それはたとえば少年と少女の差違であり、動物と石との差違であり、昼と夜との差違であり、熱さと冷たさの差違だ。そのことが唐突に、肉売り場のカウンターで僕の心をはしっと打ったんだ。そして時速七十マイルで車を飛ばして帰って、おまえに手紙を書くことが、まさに生死を分ける大事な問題であるように思えた。僕としては、帰宅する間ももどかしく、そのスーパーマーケットで鉛筆をひっつかんで、即座にこの手紙を書きたかったくらいだ。でもまあ、どう転んでも、結果は同じようなものだったかもしれない。ときどきこう思うことがある。我々のうちの誰よりも、おまえがもっとも紛れもなくSを赦《ゆる》しているのではないかと。それについてウェイカーがかつて、なかなか興味深いことを言った。実をいえば、僕は彼の言ったことをそのままここで繰り返しているだけだ。彼が言うには、Sの自殺に憤《いきどお》っているのはおまえだけであり、またそれ故《ゆえ》に彼を本当に赦しているのもおまえだけなのだ。残りの我々は表には憤りを出さず、内に向けては彼を赦していない。ウェイカーはそう言った。それは真実以上に真実なのかもしれない。僕にいったい何が言えるだろう？　僕に確かにわかっているのは、おまえに伝えるべき、とても幸福でエキサイティングな何かを僕はそのとき手にしていたということだけだ。そいつは便《びん》箋《せん》一枚の片面にダブルスペースで書ききれるものだった。でも家に戻ったときには既にその大半が、あるいは全《すべ》てが消え去っていることがわかった。僕に残されていたのは、それをただ形ばかり訥々《とつとつ》と辿《たど》る作業でしかない。博士号と俳優業について、おまえに講釈を垂れることでしかない。ただただみっともなく、ただただ滑稽《こっけい》なだけだ。シーモア本人がそういうのを目にしたら、ただただにこやかに微笑《ほほえ》んだに違いない。そして僕を、我々全員を宥《なだ》め、安心させてくれるのだ。何も心配することはないぞって。

もうこれくらいにしよう。演技をするんだ、ザカリー・マーティン・グラス。いつでもどこでもおまえが望むままに、そうしなくてはならないとおまえが感じるのであれば。しかしやるからには、全力を尽くしてやってくれ。もしおまえが舞台で、何かしら美しいことを、何かしら名もなく喜ばしいことを、そして演劇的な巧みさという範囲を越えた（超えた）何かしらを見せてくれるなら、Sと僕は借り物のタキシードに身を包み、飾り石のついた帽子をかぶり、キンギョソウの花束を手に、神妙な顔で楽屋の戸口を訪れよう。いずれにせよ、こんなことを言っても何の役にも立たないかもしれないが、どれほど遠く離れていようと、おまえは僕の愛情と支援をあてにしてくれていい。

バディー

いつものことながら、僕の全知への傾倒ぶりは愚かしいばかりだ。しかしただの才知というかたちをとって出てくる僕の一面に対して、おまえには、とりわけおまえにはということだが、寛大であってもらいたい。ずいぶん前、僕がまだ小説家志望の青臭い青年だった頃、書き上げたばかりの短編小説を、Sとブーブーの前で読み上げたことがある。読み終えたとき、ブーブーは素っ気ない声で（でもシーモアの方を見やりながら）「才知が勝ちすぎている」と言った。Sは首を振り、笑みを浮かべて僕を見て、才知こそが僕の永遠の宿業《しゅくごう》、僕の木製の義足なのであり、それを人前でわざわざ指摘するのは、決して好ましい趣味とはいえないと言った。一人の足の不自由な人間から、もう一人の足の不自由な人間への言葉として聞いてもらいたいのだが、ズーイくん、お互い思いやりをもって温かく振る舞おうじゃないか。

愛を込めて
B

四年前に書かれたその手紙の最終ページの裏側には、コードバン革が褪《あ》せたような色合いの染《し》みがついている。そして折り目に沿って、二ケ所で紙が裂けている。ズーイは読み終えると、それなりに注意を払ってページを番号の順に並べ替えた。そして乾いた両膝《りょうひざ》の上でとんとんと紙を揃《そろ》えた。彼は眉《まゆ》をひそめた。それから、この手紙を読むのは、神掛けて人生でこれが最後だとでも言わんばかりに、いかにも快活そうに、鉋屑《かんなくず》でも詰め込むみたいに封筒に戻した。彼はその分厚い封筒をバスタブの縁に置き、ちょっとしたゲームを始めた。一本の指で中身の詰まった封筒を前後にはじいて、バスタブの端に沿って動かし、浴槽の中に落とさずにいられるかどうか成り行きを見ているようだった。たっぷり五分間それを続けたあと、彼はちょっと突き方を間違え、あわてて手を差し出してそれを受け止めなくてはならなかった。ゲームはそこでおしまいになった。無事回収した封筒を手にしたまま、彼は浴槽に低く深く身を沈め、両膝を湯に浸《つ》けた。そして一分か二分、浴槽の足もとの先にあるタイル張りの壁をただぼんやりと見つめていた。それから石鹼《せっけん》置きに置いた煙草《たばこ》に目をやり、手にとって試しに二、三度吸い込んでみた。しかし火は消えていた。彼はばしゃんという大きな水音を立てて、唐突に再び身を起こし、濡《ぬ》れていない左手を浴槽の外にだらんと落とした。タイプされた脚本が表紙を上に、バスマットの上に置かれていた。彼はそれを拾い上げた――言うなれば船上に引き上げてやった。そしてちょっと見つめてから、四年前に書かれた手紙をその真ん中あたりのページに挟んだ。脚本がホッチキスでいちばん固く閉じてあるところに。しかるのちそれを、今はもう濡れてしまった両膝に立てかけて置いた。水面から一インチくらいしか離れていないところに。それからページを繰った。九ページまで来たところで、彼はその脚本を、雑誌を読むときのように二つに折って読み始めた。あるいは暗記していった。

「リック」という役柄のところに、芯《しん》の柔らかい鉛筆で太い線が引かれていた。

ティナ（陰気に）「ああ、ダーリン、ダーリン、ダーリン。私はあなたのためにはならないわ。そうでしょ？」

リック「そんなこと言わないでくれ。お願いだよ。そんな風に言わないで」

ティナ「でもそれは本当のことよ。私は縁起がよくないの。不運のもとよ。もし私がいなければ、スコット・キンケイドはずっと昔に、あなたをブエノス・アイレス支社勤務にしていたはず。私のおかげでそれが駄目になったのよ。（彼女は窓に行く）私は葡萄《ぶどう》を酸《す》っぱくさせてしまう小さな狐《きつね》なの。自分がものすごく洗練されたお芝居の登場人物になったような気がする。でも困ったことには、私自身はちっとも洗練されてなんかいない。私は何ものでもない。私はただの私でしかないのよ。（向き直る）ああ、リック、リック、私は怖いの。私たちどうなってしまったのかしら？　私にはもう、私たちの姿が見つけられないみたい。どれだけ遠くまで手を伸ばしても、そこには私たちはいない。怖くてしかたないわ。私はただの怯えている子供なの。（窓の外に目をやる）この雨、きらいよ。ときどきその中に死んでいる自分の姿が見える」

リック（静かな声で）「ねえ、ダーリン、それはひょっとして『武器よさらば』の中の台詞《せりふ》じゃないのか？」

ティナ（怒りの形相で振り向く）「出て行って。出て行ってちょうだい！　私が窓から飛び降りる前に、ここを出て行って。聞こえた？」

リック（彼女を摑《つか》む）「いいかい、よく聞くんだ。この美しいお馬鹿《ばか》さん。この素敵な、子供みたいな、一人芝居の大好きな——」

ズーイの脚本読みは、浴室のドアの外から呼びかける母親の声——執拗《しつよう》にして疑似建設的な声——によって急遽《きゅうきょ》中断された。「ズーイ？　まだお風呂《ふろ》に入っているの？」

「ああ。まだ風呂に入っているよ。どうして？」

「ちょっとだけ中に入りたいの。おまえのために持ってきたものがあるから」

「おいおい、僕は今入浴中なんだぜ、母さん」

「ほんのちょっとだけでいいから。お願い。シャワー・カーテンを引いてちょうだい」

ズーイは読んでいたページに最後の一瞥《いちべつ》をくれ、脚本を閉じ、浴槽の脇《わき》に落とした。「やれやれ、まったく」と彼は言った。「ときどき雨降りの中に自分が死んでいる姿が見えるよ」。緋色《ひいろ》のナイロンのカーテンには、シャープ、フラット、ト音記号のカナリア・イエローの模様が入っていて、それが頭上のクローム製の横棒からプラスティックのリングで吊《つる》され、浴槽の足もとあたりに束ねられていた。ズーイは前屈《まえかが》みになり手を伸ばしてそれをつかみ、浴槽の長さぶん引いて、自分の姿が見えないようにした。「いいぜ。まったくもう。入りたければどうぞご自由に」。彼の声には、俳優によくあるようなわざとらしい響きはなかったが、いささか活気が溢《あふ》れすぎていたかもしれない。それは本人に制御する気がないときには異様によく通る声だった。昔『イッツ・ア・ワイズ・チャイルド』に出演していた頃、マイクに近づきすぎないようにと再三注意されたものだ。

ドアが開き、そこそこ肉づきの良いミセス・グラスがヘアネットをかぶった格好で、身体《からだ》を横にして浴室に入ってきた。彼女の年齢はいかなる状況にあっても判断が難しいのだが、ヘアネットをかぶるとその傾向はとりわけ強くなる。彼女が部屋に入るとき、その入り方はだいたいにおいて、具体的であるとともに口頭的でもある。「いったいどうやったら、そんなに長いあいだお風呂に入っていられるのかしらね」。彼女は中に入るとさっと素早くドアを閉めた。まるで子供たちのために、風呂上がりのすきま風を相手に長年戦い続けてきた人のように。「そういうのはかえって健康的じゃないわよ」と彼女は言った。「いったいどれくらいお風呂に入っていると思う？　もうかれこれ四十五――」

「いいから、言わないでくれ。何も言わずにいてくれ、ベッシー」

「言わないでくれって、どういう意味なの？」

「言ったとおりの意味さ。僕がどれくらい風呂に入っているか、母親が物陰でこっそり時間なんか計っていないという幻想を、どうか僕に残して――」

「誰も時間を計ってなんかいるもんですか」とミセス・グラスは言った。そして既にいかにもせわしなく手を動かしていた。彼女の手には白い紙で包装され、金色の糸で結ばれた長方形のパッケージがあった。サイズからすると、その中には伝説のホープ・ダイアモンドなり、あるいは洗浄用の付属部品なりが入っているようだ。ミセス・グラスは目を細めてそれを見てから、指で金色の糸をほどきにかかったが、糸がうまくほどけないので歯を使った。

　彼女は在宅時にふだん着用する衣服を身につけていた。息子のバディー（彼は作家であり、それはとりもなおさず、誰あろうカフカが述べたごとく、礼節をわきまえた人間ではないことを意味する）が「死亡届前のお仕着せ」と呼んだところのものだ。その言うなれば主成分は、古びたミッドナイト・ブルーの日本のキモノで、彼女は昼間アパートメントの中ではほとんどその服しか着なかった。そこにはオカルト的な風合いを持つ襞《ひだ》が数多くついており、それはまた超ヘビースモーカーにして、アマチュア便利屋の装備を収める貯蔵庫としての役も果たしていた。腰のところに二つの大型のポケットがあとから取り付けられ、そこには通常、煙草の箱が二つか三つ、紙マッチがいくつか、ドライバー、釘《くぎ》抜きのついた金槌《かなづち》、息子の一人がかつて所有していたボーイスカウト・ナイフ、琺瑯《ほうろう》の蛇口が一つか二つ、それに加えてねじと釘と蝶番《ちょうつがい》の各種詰め合わせ、そしてボールベアリングのキャスターなどが収められている。おかげでミセス・グラスが広いアパートメントの中を動き回ると、ちゃりんちゃりんという微《かす》かな音がいずこからともなく聞こえてくる。もう十年かそこら、二人の娘がそれぞれに再三にわたって、なんとかその年季の入ったキモノを処分しようと策を巡らせたのだが、すべて不首尾に終わった（そいつをゴミ箱に埋葬するには鈍器でとどめの一撃を加えなくてはならないかもしれないと、既に嫁いだ娘のブーブーがかつて仄《ほの》めかしたことがある）。そのキモノはそもそもは東洋的なるものとしてデザインされたのだが、そんな事実も、ミセス・グラスが自宅において、ある種の観察者に与えるユニークにして衝撃的な印象をみじんも減ずるものではなかった。グラス家は東七十番台の通りにある古い、しかしカテゴリー的にはファッショナブルと言って差し支えないアパートメントに住んでいた。そこに居住する相応の年齢の女性たちのおそらく三分の二は毛皮のコートを所有していたし、よく晴れた平日の朝、建物を出ていく彼女たちは半時間かそこらあとには、ロード・アンド・テイラーとか、サックスとか、ボンウィット・テラーといった高級婦人服店のエレベーターを乗り降りしているであろうことが十分に推測できる。このように筋金入りのマンハッタン的な環境にあって、ミセス・グラスの場違いぶりは（紛れもなくへそ曲がりな視点から見てということだが）それなりに清新なものであった。彼女はまずこの建物から一度も外に出たことのない人のように見えた。しかしもし仮に外出するなどということがあれば、彼女はきっと暗い色合いのショールをまとっているだろうし、きっとオコネル・ストリート（ダブリンの目抜き通り）の方に歩いて行くことだろう。何かの事務上の手違いによって、つい今しがた英国兵《ブラック・アンド・タン》に射殺されたばかりの、彼女の半分アイルランド系、半分ユダヤ系の息子の一人の遺体を引き取るために。

ズーイの声は急に疑念の響きを帯びた。「母さん、いったいそこで何をやっているんだ？」

ミセス・グラスはパッケージの包装を解《ほど》き、そこに立って歯磨きの箱の裏に印刷された細かい字を読んでいた。「いいから少し口を閉じてて」と彼女は言った。いかにも「心ここにあらず」という風に。そして洗面台の上の壁に取り付けられた、薬品キャビネットに向かった。鏡張りの扉を開け、その混雑した棚を、薬品キャビネットを専門とする働きものの庭師としての目で——というかいかにも名匠らしい細められた目で——見渡した。彼女の前にあるまさにこぼれんばかりに混み合ったいくつかの棚には、輝かしい種々の調合薬の（それに加えて、本来ここに属するものではない何ややの）大群があった。棚には、ヨードチンキ、マーキュロクロム、ビタミン・カプセル、デンタル・フロス、アスピリン、アナシン（鎮痛剤）、バファリン、アルジロール（消毒薬）、マステロール（軟膏《なんこう》）、エクス・ラックス（便秘薬）、マグネシア乳（消化薬）、サル・ヘパティカ（通じ薬）、アスパーガム（アスピリン・ガム）、ジレットの剃《かみ》刀《そり》が二つ、シックのインジェクター式剃刀が一つ、チューブ入りのシェービング・クリームが二本、ポーチの手すりの上で眠っている太った白黒猫のスナップ写真（折れて、少し裂けている）、櫛《くし》が三本、ヘアブラシが二本、ワイルドルート頭髪軟膏の瓶、フィッチふけ取りシャンプーの瓶、グリセリン座薬の小さな箱（ラベルは貼《は》られていない）、ヴィックスの点鼻薬、ヴィックスのヴェポラップ（風邪用塗り薬）、六個のカスティール石鹸、一九四六年に上演されたミュージカル・コメディー『コール・ミー・ミスター』の半券が三枚、脱毛クリームのチューブ、クリネックスの箱、貝殻が二つ、使用された形跡のある種々雑多な爪《つめ》みがき、クレンジング・クリームの広口瓶が二つ、鋏《はさみ》が三本、爪やすりが一本、曇りひとつない青いおはじき（少なくとも二〇年代には、おはじき遊びをする人には「ピュアリ」という名前で通っていた）、開いた毛穴を引き締めるためのクリーム、ピンセットが一本、ベルトがない女子用、あるいは婦人用の金の腕時計の本体だけ、重曹の入った箱、女子寄宿学校のクラス・リング（オニックスが小さく欠けている）、ストペット（デオドラント）の瓶、そして――実に驚くべきことにと言っていいだろう――ほかにもまだ数え切れないほどの品物がそこに収まっている。ミセス・グラスは素早く手を伸ばして、一番下の棚から何かを取り、それをゴミ箱に落とした。かちんという小さな、鈍い音が聞こえた。「とってても評判の良い歯磨きチューブをおまえのために、この中に入れておきますからね」と彼女は振り向きもせずに告げた。そしてそれを実行した。「このやくざな歯磨き粉はもう使わないでちょうだい。こんなものを使っていたら、おまえの歯の素敵なエナメル質がそっくり落ちちゃうからね。おまえはとてもきれいな歯を持っているんだから。せめてちゃんと手入れ――」

「誰がそんなことを言ったんだ？」。シャワー・カーテンの向こうから浴槽の湯が動揺する音が聞こえた。「それが僕の歯の素敵なエナメル質をそっくり落としてしまうなんて、いったい誰が言ったんだ？」

「私が言ったのよ」。ミセス・グラスは自分の庭に最後の厳しい一瞥をくれた。「だからとにかくこれを使って」。彼女は指を伸ばしこてのようにして未開封のサル・ヘパティカの箱を軽く押し、ほかの常緑樹と一直線に並ぶようにした。それからキャビネットの扉を閉め、蛇口をひねって冷たい水を出した。「いったい誰が手を洗ったあと、洗面台をきれいにしておかなかったのかしらね？」と彼女は暗い声で言った。「この家に暮らしているのは大人ばかりだと思っていたんだけど」。そして水を更に強く出し、片手で洗面台を短く、しかししっかりと洗った。「おまえはまだ妹と口をきいていないんだろうね？」と彼女は言った。それからシャワー・カーテンの方を向いた。

「ああ、僕はまだ妹と口をきいていないよ。ともかく、早いとここから出て行ってくれないかな」

「どうして話をしないの？」とミセス・グラスはなおも尋ねた。「それはよくないよ、ズーイ。ぜんぜんよくないね。おまえにとくべつに頼んだじゃないか。何かおかしなことになってないか——」

「まずだいいちにね、ベッシー、僕はつい一時間ほど前に起きたばかりなんだ。第二に、僕は昨夜《ゆうべ》しっかり二時間、あの子と話をした。そして今日、あの子が家族の誰かと口をききたい気持ちでいるとは、率直に言って僕には思えないんだ。第三に、もし母さんがこの浴室から出て行かなかったら、このとことんあほらしいシャワー・カーテンに火をつけてやる。僕は本気だぜ、ベッシー」

その三点の具体的な説明がなされているどこかの時点で、ミセス・グラスは相手の話を聞くのをやめ、腰を下ろした。「ときどきバディーを殺したくなることがあるよ。電話をひいてくれないことでね」と彼女は言った。「なんであんな暮らし方をしなくちゃならないんだろう。ちゃんとした大人があんな生活をしているなんてまったくどういう了見なんだろう。電話もなし、なにもかもなし。プライバシーを護《まも》るとかなんとか、でもあの子のプライバシーを侵害しようなんていう人間が、いったいどこの世界にいるんだい？　なんにしたって、あんな世捨て人みたいな生活を送る必要はどこにもないはずだよ」。彼女は苛立《いらだ》ったように身体を揺すり、脚を組んだ。「それに何か起こったら、いったいどうするんだろう。たとえば脚を折るとか、何かそういうことがあったら。あんなに人里離れて暮らしていてさ。私はいつもそのことで気をもんでいるのに」

「気をもんでいる？　いったいどっちに気をもんでいるんだよ。バディーが脚を折ることか、それとも彼がどうしても電話をひいてくれないことか？」

「私に言わせてもらえばね、その両方よ」

「やれやれ……気をもむのはよしなよ。時間の無駄だ。ねえベッシー、どうしてそこまで愚かなんだ。バディーがどういう人間だかよく知っているだろう。たとえ森の奥二十マイルのところで両脚を折って、背中に矢がほっこり突き刺さっていても、自分の洞窟《どうくつ》まで這《は》ってでも戻ってくる男だよ。留守のあいだに誰かが勝手にそこに侵入して、自分のゴム長靴を試し履きしていないか確かめるためにね」。短く楽しげな、しかしどことなく猟奇的な印象のある高笑いがカーテンの奥から聞こえた。「僕の言うことを信用してくれ。あれくらい自分のプライバシーにこだわる男が、森の奥であえなく息絶えるなんてあり得ない」

「なにも死ぬことについて話しているわけじゃない」とミセス・グラスは言った。それから、そんな必要もとくになかったのだが、ヘアネットの位置を僅《わず》かに修正した。「私はあの子の近所に住んでいる人と電話で連絡をとろうとして、今朝をそっくり潰《つぶ》してしまったんだよ。でも誰も出なかった。あの子をつかまえられないというのは、ほんとにはらわたがふつふつすることなんだ。昔あの子とシーモアが使っていた部屋にあるわけのわからない電話をそっちに移してくれって、これまで何度お願いしたかわかりゃしない。そういうのってぜんぜんまともじゃないよ。ほんとの面倒が持ち上がって、電話が必要なときに――はらわたがふつふつするじゃないか、まったく。昨夜も二度試したし、今朝も今朝で四度も――」

「その『はらわたがふつふつする』って、いったい何のことなんだ？　それにだいたい、その近所に住んでいるという見ず知らずの他人が、なんで僕らのためにいちいち使い走りをしなくちゃならないんだ？」

「使い走りをさせるなんて、誰も言ってませんよ。ズーイ、お願いだからそういうきいた風なことを言わないでちょうだい。ひとこと言わせてもらえばね、私はあのお嬢さんのことをとっても心配しているっていうだけ。それにね、バディーは今回の出来事についてきっちり事情を知らされるべきだと、私は思っている。言っときますけどね、こういう状況でもし私が連絡をとらなかったら、あの子はきっとそのあとずっと私のことを赦《ゆる》さないでしょうね」

「ふん、なるほど！　じゃあ、近所の人を煩《わずら》わせる前に、どうして勤め先の大学に電話をかけないんだ？　いずれにせよこの時間には、兄貴は自分の洞窟にはいないぜ。それくらいわかってるだろう」

「お願いだから、そんな大声を出さないでちょうだい。誰も耳は悪くないんだから。言わせてもらえばね、大学にはもう電話をかけたわ。でもね、そんなことしても何の役にも立たないことは、経験からよくよく知っているの。電話があったというメモがあの子の机の上に置かれるだけ。ところがあの子は自分のオフィスになんて金輪際近寄りもしない」。ミセス・グラスは身を起こさず、そのまま唐突に前のめりになり、洗濯物を入れるバスケットの上から何かをつまみ上げた。「そこに拭《ふ》きタオルはある？」と彼女は尋ねた。

「洗顔タオルが正しい言葉だ。拭きタオルじゃない。それにだいたいね、ベッシー、もうお願いだから、僕を一人にしてくれないか。僕が望んでいるのは単純にそれだけだ。もし僕がこの場所を、通りがかりの太ったアイルランド婦人で溢《あふ》れかえらせたいと望んでいるなら、自分の口からちゃんとそう言っている。いいから、もう出て行ってくれ」

「ズーイ」とミセス・グラスは辛抱強い声で言った。「私は今きれいな拭きタオルを手に持っているのよ。要るの、要らないの？　イエスかノーで答えてちょうだい」

「ああ、もう、わかったよ。イエスだ。イエス、イエス。この世界で何よりも僕はそれを必要としている。こちらに放り投げてくれ」

「放り投げたりしたくない。おまえにちゃんと手渡す。この家ではいつだってみんなが何かを放り投げているんだから」。ミセス・グラスは立ち上がり、シャワー・カーテンの方に三歩進み、洗顔タオルを求めて手が突き出されるのを待った。

「どうもありがとう。だから、頼むからここを出て行ってくれ。これでもう十ポンドは体重が減ったはずだ」

「当たり前でしょう！　顔が真っ青になるまでお風呂《ふろ》に浸《つ》かっているんだもの。それに——何よ、これは？」。ミセス・グラスは強い好奇心に駆られ、身を屈《かが》めて、自分が浴室に入ってくる前にズーイが読んでいた脚本を拾い上げた。「これはルサージさんが送ってきた新しい脚本かしら？」と彼女は尋ねた。「床に置いてあるやつが？」。返事は得られなかった。それはまるでイブがカインに向かって、あそこで雨ざらしになっているのは、おまえの新しい立派な鍬《くわ》じゃないのかと尋ねるようなものだった（訳注　イブの息子カインは弟のアベルを殺し、エデンの東に追放され、この先耕作をおこなっても収穫を得ることはできないと宣告される）。「脚本を置くには実にうってつけの場所だわね」。彼女はその脚本を窓の方に移動させ、ラジエータの上に大事そうに置いた。そしてそれが湿っていないことを確かめるように、じっと見下ろした。窓のブラインドは下ろされていた。ズーイは、天井に取り付けられた電球三つの照明器具による明かりだけで、浴室におけるすべての読み物をしていたのだ。しかしブラインドの下の隙間《すきま》から僅かに朝の光が差し込み、それがタイトルのページを照らしていた。ミセス・グラスは頭を一方に傾けた。それは字を読むためであり、同時にキングサイズの煙草《たばこ》の箱をキモノのポケットから取り出すためでもあった。「『心は秋のさすらい人』」と彼女は感慨を込めて読んだ。「並じゃない題だこと」

シャワー・カーテンの奥からの反応こそひと息遅れたものの、喜びに満ちていた。

「なんだって？　何じゃない題だって？」

ミセス・グラスは既にガードを固めていた。彼女は火のついた煙草を手に、背中をまっすぐにして座り直した。「並じゃないって言っただけ。美しいとか、そんな風に言ったわけじゃない。だから——」

「おいおい、勘弁してくれよ。ねえベッシー、よほど早起きでもしない限り、本当に素晴らしいものが母さんに見逃してもらえることはあり得ないようだな。自分の心がどういうものなのか、あんたにはわかっているのかな、ベッシー？　自分の心のありようが知りたい？　あんたの心はね、ベッシー、まさに秋のガレージだよ。なかなか人目を惹《ひ》くタイトルだろう。やれやれ、多くの人たちは——よくわけがわかっていない連中は——我が家ではシーモアとバディーだけが、文学的資質を具《そな》えた人材だと思っている。僕が考えるとき、またしばし腰を下ろして精妙なる文章や、ガレージについて思いなすとき、僕としては我が人生のすべての日々を捨て去り――」

「はいはい、よくわかりました」とミセス・グラスは言った。テレビ・ドラマのタイトルについての彼女の好みはさておき、またその美的感覚全般がどのようなものであるかもさておき、彼女の目には一瞬の煌《きら》めきがきらりと――ただの一瞬だが、それでもやはり煌めきだ――浮かんだ。そこにはいちばん年若い、そしてただ一人器量の良い息子の弁舌爽《さわ》やかな憎まれ口に対する、年季を積んだ目利《めき》き（いくぶんつむじ曲りではあるにせよ）としての悦楽がうかがえた。おかげで一秒の何分の一かではあるが、浴室に入ってきて以来ずっと彼女の顔を包んでいた漠とした疲弊と、また具体的な何かに対する紛れもない憂慮がどこかに押しやられた。とはいえ、彼女はほとんど瞬時に防御の姿勢を取り戻した。「そのタイトルのどこがいけないのよ？　実際に並じゃないじゃないの。だいたいね、おまえときたら何かが並じゃないとか、美しいとか、そんな風に認めるってことが絶対にないんだから！　私は一度として、おまえがこう言うのを聞いたことが――」

「なんだって？　僕がどうしたって？　僕が何かを美しくないなんてけなしたことがあるかい？」。シャワー・カーテンの向こうで、ちょっとした大波のような音が聞こえた。たちの悪いイルカが急に暴れ出したみたいな音だった。「いいかい、太っちょさん、あんたが僕の人種や信条や宗教について何を言おうとかまわない。でも僕が美に対して敏感じゃないなんて言わないでもらいたい。それこそがまさに僕のとっておきの弱点なんだ。そいつを忘れないでくれ。僕にとってはね、何から何までが美しいんだよ。僕にピンク色の夕日を見せてくれ。もうその場でめろめろになっちゃうよ。何だっていい。『ピーター・パン』でもいい。『ピーター・パン』なら、幕が上がる前から、僕は既においおい泣き濡《ぬ》れているよ。それなのに、よくもまあ言えたものだ。なんとこの僕が——」

「ああ、もうよして」とミセス・グラスは言った。心ここにあらずといった風に。そして大きくため息をついた。やがて表情をぎゅっと引き締め、煙草の煙を大きく吸い込み、鼻からそれを出した。そして言った。というか、思いを爆発させた。「ああもう、私にはわからないよ！　あのお嬢さんをいったいどうすればいいのやら」、彼女は深く息をした。「私にはもうさっぱり手の打ちようがない」。彼女はX線のような視線をシャワー・カーテンに向けた。「あんたたちときたら、誰ひとり何の役にも立ちゃしないんだから。誰ひとりね！　おまえのお父さんなんて、この手の話になるとほとんど口もきいてくれない。まったく、ねえ！　もちろん心配はしている。それは顔を見ればわかる。でもいつだって、事態を直視するってことがあの人にはできないんだよ」。ミセス・グラスの口元が固く結ばれた。「私の知る限り、何によらずあの人が問題とまっこうから取り組んだことなんて一度もない。ラジオをつけて、どっかのちゃらちゃら歌手の歌を聞いていれば、何か変なこと、面白くないことはみんなどこかに消えてなくなってしまうと、お父さんは思っているのさ」

姿の見えないズーイの方から、朗らかな笑い声が一度聞こえた。いつもの荒っぽい高笑いとほとんど見分けのつかないものだったが、それでもそこにはいちおう違いがあった。

「ほんとにそうなんだよ！」とミセス・グラスは生真面目《きまじめ》に主張した。そして前に向けて座り直した。「私が正直なところ何を考えているか、知りたいかい？」と彼女は尋ねた。「知りたくない？」

「頼むぜ、ベッシー。あんたは結局、言いたいことはぜんぶ言うんじゃないか。僕がどう返事をしたところで――」

「正直なところ――ほんとに真剣な話――嘘《うそ》いつわりなくこう思うんだよ。お父さんがずっと望んでいるのは、子供たち全員がもう一度ラジオに出演しているのを聞くことじゃないかって。いや、まじめな話さ」。ミセス・グラスはもう一度煙草の煙を深く吸い込んだ。「おまえのお父さんはね、ラジオをつけるたびに『イッツ・ア・ワイズ・チャイルド』がまだ放送されていることを、そしておまえたち全員が一人ひとり質問に答えているのを耳にすることを期待しているみたいに、私には見えるんだ。正直な話」。彼女は唇をぐいと結び、（あくまで無意識にだが）主眼をより強調するべくいったん間を置いた。「ほんとにね、おまえたち全員だよ」と彼女は言って、唐突に少し姿勢をまっすぐ正した。「つまりシーモアとウォルトをも含めて」。彼女は短く、しかし深々と煙を吸い込んだ。「あの人は丸ごと過去に生きているんだ。まったくの丸ごと。おまえの出ている番組を別にすれば、テレビを見ることだってほとんどない。笑ったりしないで、ズーイ。これは笑いごとじゃないんだから」

「誰も笑ってなんかいないだろう」

「でもね、これは真実なのよ！　フラニーがちょっとまずいことになっているって、あの人にはぜんぜんわかってないの。ぜんぜんよ！　ゆうべの十一時のニュースが終わったあと、あの人が何を言ったと思う？　フラニーは蜜柑《みかん》を食べたいんじゃないかなって私に訊《き》くのよ！　あの子はあそこに何時間も突っ伏していて、こちらが何かひとこと口にしたらわっと泣き崩れてしまう。そしてなにやらわけのわからない文句を一人でもごもご口にしている。それなのにおまえのお父さんが思いつくのは、あの子が蜜柑を食べたいかどうかってことだけ。本気で殺してやろうかと思ったわ。この次にあの人が――」、ミセス・グラスは話すのをやめ、シャワー・カーテンを睨《にら》みつけた。「何がそんなにおかしいの?」と彼女は詰問《きつもん》した。

「何もおかしくない。ぜんぜん、何ひとつとしておかしくない。しかしその蜜柑の話はいいねえ。わかったよ。それであんたの役に立ってくれない人は、他に誰がいるんだ?　僕、レス、バディー。そのほかには?　さあ、腹にあることをそっくり吐き出しちまいなよ、ベッシー。遠慮はいけないね。口数の少ないことがこの一家の抱えこんでいる問題のおおもとなんだから。僕らが何でもかんでも口に出さず、胸に溜《た》め込んじゃうってことがね」

「おまえの冗談はおかしくもなんともないよ」とミセス・グラスは言った。彼女は少し間を置いて、ヘアネットのゴムの中にほつれた髪を押し込んだ。「バディーが数分でもいいから、電話に出てくれたらねえ。このわけのわからない出来事について何か知っているはずの人間は、あの子くらいなんだから」。彼女はしばし思案した。その表情には明らかに恨みがましいものがあった。「まったく雨が降ればいつも土砂降りときてる」。彼女は自分の左手の手のひらに、とんとんと煙草の灰を落とした。「ブーブーは十日まで戻ってこない。ウェイカーにこのことを話すのは、もうひとつ気が進まない。あの子にならいつ連絡がとれるとわかっていてもね。長く生きてきたけど、こんな家族って他に見たことがないよ。ほんとだよ。おまえたちはみんなどの子供も、頭脳明晰ということになっている。ところがいざとなると何の役にも立ちゃしない。誰ひとりね。まったくこういうのって――」

「ちょっと待てよ。いったい何がいざとなるとなんだ？　いつ、そんなに深刻な話になったんだよ？　あんたは僕らに何をしてほしいんだ、ベッシー？　出かけていって、フラニーの人生を彼女の代わりに生きてやればいいのかい？」

「ちょっと、やめてちょうだい！　あの子の人生を代わりに生きてくれなんて、誰も頼んでいないでしょうが。誰かあの居間に行って、そこでいったい何が持ち上がっているのか、私にわかるようにしてほしいっていうだけなの。ただそれだけ。あの子がいつ大学に戻って、学年をきちんと終えてくれるか、それだけを私は知りたいの。あの子がいったいいつになったら、少しでも滋養のあるものを胃袋に入れる気持ちになるのか、それを知りたいだけ。土曜日の夜にここに帰ってきてから、ほとんどなんにも口にしてないのよ。ほんとに何ひとつ。半時間ほど前に、私はあの子にチキン・ブロスを飲ませようとしたんだけど、スプーンに二口しか飲まなかった。たった二口だよ。昨日の夜に食べさせたものはそっくり吐いてしまった。きれいに」。ミセス・グラスの声はそこでいったん停止した。言うなれば弾丸込《たまご》めするあいだだけ。「あの子はチーズバーガーならあとで食べるかもしれないって言った。なんでまたチーズバーガーなの？　話を聞いてみると、あの子はこの学期は今までのところ、ほとんどチーズバーガーとコークだけを口にして生きてきたみたいだよ。最近の大学は、女子学生にそんなものを食べさせているのかい？　私にひとつ言えることは、あんなに弱りきった若い娘に与える食事として、そんな——」

「その意気だ！　チキン・ブロス、しからずんば無だ。断固たる態度を貫かなくちゃね。もしあの子が神経衰弱になろうと心を決めたのなら、僕らもせめて易々《やすやす》とはそうできないように策をめぐらさなくちゃね」

「生意気な口をきかないでちょうだい。ああ、ほんとに減らず口なんだから。ひとこと言わせてもらえるなら、あの子が体内に入れるその手の食べ物が、今回のこのわけのわからない騒動とまったく無関係だとは、私には思えないのよ。小さな頃にも、あの子には野菜とか実のある食べ物を無理に食べさせなくちゃならなかった。そんな風に来る日も来る日も自分の身体《からだ》をいじめるなんて、どだい無理な話なのよ。あんたがどう思うかは知らないけどね」

「まったくそのとおりだ。実に母さんのおおせのとおりだ。そんな風に一直線にずばりとものごとの核心に飛び込むなんて、見事というしかない。もう鳥肌が立ちまくるよ……ああ、なんて素晴らしいんだ。身体が熱くなってくるぜ、ベッシー。ねえ、自分が何をしたかわかっているかな？　あんたは今回のこの出来事に、自分が成し遂げたことがちゃんと見えているのかな？　あんたは今回のこの出来事に、新たなる鮮やかな聖書的一瞥《いちべつ》を与えたんだよ。僕は大学でキリスト磔刑《たっけい》についてペーパーを四回書いたけど——いや、正確には五回か——どれも何かが欠けているという気がして、頭が半分おかしくなりそうだった。でも欠けていたのが何だったのか、今ではわかる。頭の中がぐんと晴れ渡ってきたぞ。僕はキリストをまったく違った光の中で見ることができる。彼のファナティシズム（狂信性）がいかに非健康的であったか。礼儀正しく理をわきまえ、保守的で納税も欠かさないパリサイ人《びと》たちに対する彼の態度が、いかに無礼きわまりないものだったか。ああ、こいつはわくわくしちゃうな！　ねえベッシー、そのシンプルにして率直で、まことに頑迷なやり方で、あんたは新約聖書の失われていた基音を見事に響かせたんだ。不健全な食事。キリストはチーズバーガーとコークで生きていたんだ。ひょっとすると民にもその——」

「ああ、もうやめてちょうだい」とミセス・グラスが割って入った。声は静かだったが、そこには剣呑《けんのん》な響きがうかがえた。「その口におむつをあててやりたいものだわ！」

「参ったね。僕としてはのどかな浴室向きの会話をしようとしただけなんだけどな」

「くだらない冗談はよしてちょうだい。面白くも何ともないんだから！　言っときますけど私はね、おまえの妹とイエス様とを同じ光に照らして見たりするようなことは、断じてしません。私は変った人間かもしれないけど、とにかくそういうことはしないの。がりがりで神経過敏で、宗教がらみの本ばかり読み漁《あさ》っているちっぽけな女子大生と、イエス様を同列に引き比べたりするようなことはね。おまえだって妹のことは、私に劣らずよく知っているはずだよ――というか、知ってなくちゃ嘘だ。あの子はとびっきり感受性が強い子だし、昔からずっとそうだった。それくらい、おまえだって承知しているだろう」

　浴室はしばし奇妙にしんと静まりかえった。

「母さん？　そこに座っているのかい？　まずい雰囲気を感じるんだけど、ひょっとして火のついた煙草《たばこ》を五本も指にはさんだりしていないよね？」。彼はそのまま待った。しかしミセス・グラスは返事をしないでいることを選んだ。「そこにずっと座っていられると、僕としてはすごく困るんだよ、ベッシー。そろそろ風呂《ふろ》を出たいと思っているんだけど……ベッシー、聞こえてる？」

「聞こえてるよ。聞こえていますとも」とミセス・グラスは言った。新たな憂慮の波が彼女の顔をよぎった。いらいらしたように彼女は背中をまっすぐ伸ばした。「あの子は寝支度をしたカウチに、ろくでもないブルームバーグを持ち込んでいるんだよ」と彼女は言った。「とても健全とは言えない」。そして大いなるため息をついた。数分間、彼女は丸めた左の手のひらに煙草の灰を入れて持っていたのだが、ようやく身を乗り出し、中腰のままそれをゴミ箱に捨てた。「どうすればいいのか、わからないよ」と彼女は告げた。「ほんとに皆目わからないんだ。家の中はまるっきり収拾がつかなくなっている。ペンキ屋はあの子の部屋の作業は大方終えて、昼食が済んだらすぐにでも居間に取りかかりたがっている。あの子を起こしていいものかどうかわからない。だって起こすも何も、あの子はほとんど寝てもいないんだよ。頭がおかしくなりそうだよ。このアパートメントに自由にペンキ屋を入れられた時代はいったいいつのことだったかしら？　かれこれ二十――」

「ペンキ屋！　ああ、そうだ！　思い出したよ。ペンキ屋のことをすっかり忘れていたな。ねえ、どうして彼らをここに招かなかったんだ？　まだたっぷりスペースはあるじゃないか。浴室に彼らを招き入れないなんて、僕はホストとして失格だと思われちゃうぜ。だって僕はここで――」

「少し静かにしててちょうだい。今考えごとをしているんだから」

言いつけに従うように、ズーイは急に洗顔タオルを使い始めた。かなりの間、浴室に聞こえるのはぴしゃぴしゃという小さな水音だけになった。ミセス・グラスはシャワー・カーテンから八フィートか十フィート離れて座り、タイルの床の先にある、浴槽の横に敷かれた青いバスマットを見つめていた。残り半インチまで短くなった火のついた煙草が、右手の二本の指先にはさまれていた。彼女がそうやって煙草を持っている様は、目には見えないダブリン市民的ショールがその肩にかけられているという、人が彼女に対して当初抱いた強い（そして今でも完全に有効な）ある種文学的な印象を、あっさり地の果てまで吹き飛ばしてしまうことになった。彼女の指は並外れて長く、形が良いというだけではなく――そこそこ恰幅《かっぷく》の良い女性には、ごく一般的に言って似つかわしくない指だ――そこにはどことなくやんごとなき気配を持つ震えさえ見て取れた。退位に追い込まれたバルカンの女王や、引退した愛妾《あいしょう》が身につけていそうなエレガントな震えだ。そしてダブリンの黒いショールというモチーフにそぐわないのは、この指だけではない。そこにはまたベッシー・グラスの脚という、目を見張らせる事実があった。それはいかなる基準に照らしても、文句なしに見事なものだった。かつては世間に広く知られた美女の、ボードビリアンの、ダンサーの、それもきわめて軽やかなダンサーの脚だ。その脚は今は組まれ、脚の持ち主はそこに座ってしげしげとバスマットを見つめていた。左脚が右脚の上に置かれ、くたびれた白いパイル地のスリッパが、伸ばされた足の先から今にも落っこちそうに見える。足はとび抜けて小ぶりで、踝《くるぶし》は未《いま》だにほっそりしている。そしておそらく最も特筆されるべきは、ふくらはぎが今でも見事に引き締まり、こぶらしきものがどこにも見当たらないことだ。

通常よりは遥《はる》かに深いため息が——それはほとんど生命力の一部のようでもある——出し抜けにミセス・グラスの口から洩《も》れた。彼女は立ち上がり、煙草を持って洗面台に行き、冷たい水を出してその火を消し、吸い殻をゴミ箱に捨てた。それから再び腰を下ろした。彼女が自らにかけた内省の魔法はそれでも破られなかった。まるで椅子《いす》から一瞬たりとも立ち上がらなかったみたいだった。

「僕は三秒以内に風呂を出る、ベッシー。これは最終通告だよ。長居する人は嫌われるもんだぜ」

さっきから青いバスマットを凝視するのを再開していたミセス・グラスは、息子の「最終通告」に対して放心した顔で肯《うなず》いた。その瞬間ズーイが、もしちらりという以上に彼女の顔を目にしたなら、とくにその目を見たなら、彼は母親との会話の中で自分が口にした多くの部分を撤回し、再構築し、別の形にしたい、それらをもっと優しくもっと柔和なものに変えたいという強い衝動――それが一時的なものかどうかはともかく――に駆られたかもしれない。いや、あるいはそんなことはまったく思わなかったかもしれない。一九五五年にあってはミセス・グラスの顔から、とりわけその大きな青い二つの瞳《ひとみ》から、まっとうに筋の通った表情を読み取ることは、ずいぶん技術を要する作業であったからだ。数年を遡《さかのぼ》ればその目はそれだけで、彼女の二人の息子が死んだというニュースを伝えることができた（相手が人間であれ、バスマットであれ）。一人は自殺し（もっとも精密に造られた、そしてもっとも心優しい、彼女のお気に入りの息子だった）、一人は第二次世界大戦で死んだ（唯一《ゆいいつ》、混じりけなく陽気な心を持った息子だった）。その頃にはベッシー・グラスは目だけで、それらの事実を雄弁に、また細部への熱情とも言えるものを込めて伝えることができた。彼女の夫も成人したほかの子供たちも、その目を直視することはできなかったし、ましてやのぞき込むなんて話のほかだった。しかるに一九五五年の今、その同じ強力なるケルト的器官を用いて彼女が――おおむね玄関口において――伝えるニュースは、食料品店の新しい配達の子が夕食に間に合うようにラムの腿肉《ももにく》を届けなかったとか、遠くハリウッドでどこかの新進女優の結婚生活が暗礁《あんしょう》に乗り上げているとか、大方その程度のものにとどまっていた。

彼女は唐突にキングサイズの煙草に火をつけた。その煙を吸い込み、立ち上がりながら煙を吐き出した。「すぐにまた戻ってくるよ」と彼女は言った。その宣告はごく無邪気に、約束のように響いた。「お風呂から出るときには、ちゃんとバスマットを使うのよ」と彼女は付け加えた。「そのためにバスマットってものがあるんだからね」。彼女はバスルームを出て、ドアをしっかり閉めた。

数日のあいだ急ごしらえの修理ドックに入っていたクイーン・メアリ号が、入ってきたときと同じように唐突に気まぐれに――そう、言うなればウォールデン湖（訳注 ソローが隠遁生活を送っていたところ）から――出て行ったあとのようだった。シャワー・カーテンの奥でズーイは数秒間、じっと目を閉じていた。まるで自分という小さな船舶が、大型船の航跡の中で危なっかしく傾《かし》いでいるかのように。それからシャワー・カーテンを開け、閉まっているドアをじっと睨《にら》んだ。重苦しい凝視、そこには解放感らしきものはろくにうかがえなかった。それはまさに、とくに逆説的な意味は抜きで、プライバシーを大事にする人間の凝視だった。この手の人間にとっては、ひとたび自分のプライバシーが侵害されてしまうと、侵害者がさっさと立ち上がってどこかに消えてしまったからそれで一件落着、ということにはならないのだ。

五分も経《た》たないうちに、ズーイは濡《ぬ》れた髪を櫛《くし》で撫《な》でつけ、裸足《はだし》で洗面台の前に立っていた。ダークグレイ、シャークスキンのベルトなしズボンをはき、裸の肩に洗顔タオルをかけていた。髭剃《ひげそ》り前の儀式は既に滞りなく進行していた。窓のブラインドは半分ばかり引き上げられている。浴室のドアは、鏡を曇らせないために、蒸気を逃がすべく小さく開けられている。吸いかけの煙草が、薬品キャビネットの鏡の下の、曇りガラスの張り出しに置かれている。すぐ手が届くように。ズーイはちょうどシェービング・クリームを絞り出し、髭剃りブラシの先に載せたところだ。シェービング・クリームのチューブに蓋《ふた》はせず、そこらの琺瑯《ほうろう》の上の、邪魔にならないところに適当に置く。そして手のひらで、自分の顔が映っている鏡の部分をきゅっきゅっと音を立ててこすり、曇りを取る。それから顔に泡をつけていった。その泡のつけ方は尋常とは言いがたいが、それは彼の髭の剃り方と、精神においては瓜《うり》二つである。つまり彼は顔に泡を立てながら鏡をのぞき込んでいるのだが、彼がまっすぐ見ているのはブラシの動きではなく、自分の両目なのだ。まるでその目が、彼が七歳か八歳のときから従事しているナルシシズムとの私的な戦争における中立地帯であり、無人地帯であるかのように。そして二十五歳になった今では、そこにおけるささやかな戦略はおおむね反射的なものになっているみたいだ。バッターボックスに立ったベテランの野球選手が、必要のあるなしにかかわらず、バットでスパイクをとんとんと叩《たた》くように。しかしながらその数分前に濡れた髪を櫛でとかしたとき、彼はできるだけ鏡の助けを借りずにそれをおこなった。その前に全身鏡の前に立って身体を拭《ふ》いたときには、鏡にはちらりとも目をやらなかった。

彼がちょうど泡を顔に塗り終えたとき、髭剃り用の鏡の中に母親がぬっと顔を見せた。彼女は彼の数フィート後ろの、戸口に立っていた。片手をドアノブの上に置き、部屋の中にもう一度全面的に入ったものかどうか、いかにもわざとらしくためらっている風情《ふぜい》だった。

「おやまあ、突然の御訪問、なんという望外の喜びでありましょう」とズーイは鏡に向かって言った。「さあさあ、中に入って」と言ってズーイは笑った。あるいは吠《ほ》えるように高笑いした。それからキャビネットを開け、剃刀《かみそり》を取りだした。

ミセス・グラスは考え込むような顔で、前に進んだ。「ズーイ……」と彼女は言った。「考えていたんだけどねえ」。彼女がそこでいつも座る場所は、ズーイのすぐ左脇《わき》だった。彼女はそこに腰を下ろそうとした。

「そこに座らないで！　まずはとくとお姿を拝見させて下さい」とズーイは言った。浴槽から出てズボンをはいて、髪をとかしたことで、彼の気持ちは高揚したようだった。「このささやかな礼拝堂に客をお迎えすることはあまりなくてね。だからたまさかのお客には、できるだけ寛《くつろ》いで――」

「少し黙ってて」とミセス・グラスはきっぱりと言って、そのまま腰を下ろした。そして脚を組んだ。「考えていたんだけどね、この件にウェイカーを引き込むことで何か良いことはあると、おまえは思う？　私は個人的には、そうは思わないんだよ。でもおまえの考えも聞きたいんだ。つまりね、あの子に必要なのは優秀な精神科医であって、司祭とかじゃない。でも私の考えは間違っているかもしれない」

「いやいや、いやいや、間違ってないよ。母さんが間違いを犯したことなんて、いまだかつてないさ。あんたの持ち出す事実はいつも真実でないか、誇張されているか、そのどっちかだ。でも間違いを犯したことはない。そいつはどこまでも確かだ」と、とても楽しそうな顔つきで、彼は剃刀を湿らせ、顔をあたり始めた。

「ズーイ、私はおまえに真剣に相談しているんだよ。お願いだから、冗談にするのはやめてちょうだい。ウェイカーに連絡をするべきだと思うか、あるいはそうは思わないか、おまえの考えを聞きたいの。ピンショ司教だかなんだかいう人に電話をすれば、少なくともあの子あてにどこに電報を打てばいいかを、たぶん教えてもらえると思うんだ。もしあの子がどっかのわけのわからない船にまだ乗っていればということだけど」。ミセス・グラスは手を伸ばして、金属製のゴミ箱を手前に引き寄せ、それを灰皿がわりにした。浴室に入ってきたときから既に彼女は火のついた煙草を手にしていたのだ。「私はフラニーにじかに訊《き》いてみたんだよ。電話でウェイカーと話をしたくないかって」と彼女は言った。「もしあの子とうまく連絡がとれたらということだけど」

ズーイは剃刀をさっと洗った。「それで本人はどう言ってるんだい？」

ミセス・グラスはもじもじと身体《からだ》を僅《わず》かに右にずらし、座る位置を調整した。「あの子が言うには、誰とも話なんかしたくないんだって」

「そいつは怪しいものだな。そんな単純明快な返事を真に受けることはできないだろう」

「あのね、ひとこと言わせてもらえるなら、今日のあの子のどんな答えだって私は真に受けられませんよ」、ミセス・グラスはあきれたように、泡を立てたズーイの横顔に向かってそう言った。「これでもう四十八時間も部屋で倒れ伏して、泣いたり、わけのわからない文句を口の中でもごもご繰り返している若い娘を相手に、まっとうな答えなんて初めから期待するもんですか」

ズーイはそれに対しては何も言わず、髭剃りを続けた。

「それでおまえの意見を聞かせて。私がウェイカーに連絡をとった方がいいと思うか、思わないか。正直言って、私はそうするのが怖いんだよ。司祭であるかどうかに関わりなく、あの子はもともと感情的だからね。雨が降り出しそうだって言っただけで、あの子の目は涙でいっぱいになるんだから」

ズーイはその指摘を面白く思い、鏡に映った自分の目と気持ちを共有した。「ベッシー、あんたもけっこう言うじゃないか」と彼は言った。

「ああ、バディーがどうしても電話に出てくれなくって、おまえも助けにならないとしたら、私としては何か他の手を見つけなくちゃならない」とミセス・グラスは言った。憂慮の色を顔全体に浮かべながら、彼女はそこに座って長いあいだ煙草を吸っていた。それから言った。「これがはっきりと何かカソリック的なことなら、私にもあの子を助けることができるかもしれない。何もかも忘れてしまったというわけじゃないからね。でもおまえたちのうちの誰も、カソリックの信仰のもとでは育たなかった。いくらなんでも――」

ズーイは相手の話を遮った。「違うったら」と彼は言った。そして泡だらけの顔を母親に向けた。「違うったら。ぜんぜん話が違うんだよ。そのことは昨夜《ゆうべ》ちゃんと言っただろう。フラニーの今回の騒ぎは宗派とは関係のない問題なんだ」。彼は剃刀を湯に浸《つ》け、髭剃りを続けた。「僕の言うことを信じてくれよ。お願いだから」

ミセス・グラスは期待を込めて、促すように息子の横顔をじっと見つめていた。しかし彼はそれ以上何も言わなかった。しばらく待ってから、ため息をついて彼女は言った。「あのカウチから、一緒にいるろくでもないブルームバーグを追い払うことができれば、私としてはせめてもの気休めにはなるんだけど。衛生上も良くないよ、あれは」。彼女は煙草の煙を吸い込んだ。「それにペンキ屋をどうすればいいのか、考えると頭が痛い。職人たちはこの瞬間にも、フラニーの部屋の作業を終えてしまっているかもしれない。そうなれば、一刻も早く居間の作業に移りたがるだろう」

「僕がこの家の中で、唯一問題を抱えていない人間らしいな」とズーイは言った。「どうしてそうなるか、あんたにはわかるかい？　それはね、僕はちょっとでも気分が落ち込むと、あるいはわけがわからなくなると、お客を何人か浴室に招待するからだよ。そしてそこでみんなで知恵をしぼり、事態を共に打開していくわけ。それが僕のやっていることさ」

ミセス・グラスはそのズーイの問題処理方法に、もう少しで気を惹《ひ》かれそうになったが、この日は彼女にとってあらゆる種類の娯楽を排除しなくてはならない一日だった。彼女はしばしまじまじと息子を見ていたが、やがてその目にはゆっくりと新しい表情が満ちていった。機略に富み、奸智《かんち》に長《た》けた、そして僅かにやけっぱちの混った表情だった。「あのね、いいかい、私はおまえが思っているほど馬鹿《ばか》なわけじゃないよ」と彼女は言った。「おまえたち子供は、みんな何かをしっかり隠している。そして私だって、今回のごたごたの背後に何があるのか、まるっきり知らないってわけじゃないんだ。おまえが思っている以上にね」。効果を出すために、彼女は唇を堅く結び、ありもしない煙草の灰をキモノの膝《ひざ》の上から払った。「ひとこと言わせてもらえるなら、あの子が昨日、家の中でずっと持ち歩いていたあの小さな本が、ごたごた全体のそもそもの根っこにあるものだということくらいは、私にもいちおうわかっている」

ズーイは彼女の方をちらりと向いた。口にはにやりと笑みを浮かべていた。「どうしてわかったんだい？」と彼は言った。

「どうしてわかったかなんてどうでもいいでしょう」とミセス・グラスは言った。「知りたければ教えてあげるけど、レーンは何度もここに電話をかけてきたわ。彼はフラニーのことを心底心配しているのよ」

ズーイは剃刀を洗った。「レーンっていったい誰だっけ？」と彼は尋ねた。それは疑いの余地なく、ある種の人々のファースト・ネームを自分が知っていることをしばしば認めたがらない、まだきわめて年若い人間が口にする種類の質問だった。

「誰だかくらい、ちゃんとわかっているはずだよ」。ミセス・グラスは語気を強めてそう言った。「レーン・クーテルよ。彼はこの一年ばかりずっとフラニーの彼氏だった。おまえは私の知っているだけでも、少なくとも六回は彼に会っている。とぼけないでちょうだい」

ズーイは腹の底から大きく笑った。まるで気取った見せかけが白日の下にさらされることが（自らのそれをも含めて）面白くて仕方ないみたいに。彼はいかにも楽しそうに髭剃りを続けた。「フラニーのボーイフレンドのことか」と彼は言った。「『彼氏』ってのはいくらなんでも古すぎるぜ、ベッシー。なんでそう時代遅れなんだ？」

「私の時代遅れなんてどうでもいいのよ。フラニーがうちに帰ってきてから、彼は五回か六回電話をかけてきているわ。たいしたものだと思わない？　今朝だっておまえが目を覚ます前に、二度も電話してきた。彼はとても心優しいし、フラニーのことをずいぶん気にかけて心配している」

「まわりにいる誰かさんたちとは違って……ということかな？　でもね、お気の毒さま、その男と長いこと腰を据えて話をしたけど、僕が見るところ、あいつはぜんぜん心優しいやつなんかじゃないよ。うわべはなかなか感じが良いけど、中身はどんがらだ。ところで誰か、僕の剃刀を使ってわきの下を剃ったか、ろくでもない脚のむだ毛を剃ったかしたね。あるいは落っことすとか。ヘッドの部分が丸っきり――」

「誰もおまえの剃刀に手を触れたりしないよ。どうして彼がうわべだけ感じが良くて、中身がどんがらだなんて思うんだい？」

「どうして？　だって、そのとおりなんだもの。それだけさ。たぶんその方がいろんなことがうまくいくからだろう。ひとつだけはっきり言えることがある。もし彼がちょっとでもフラニーのことを気遣っているとしたら、それはどうせとことんくだらない理由のためだよ。そうに決まっている。あいつがいちばん心を痛めたのはたぶん、ゲームの途中で自分がフットボール・スタジアムをあとにしなくちゃならなかったことだし、そういう気持ちが顔に出て、それは勘の良いフラニーの目に必ずや留まったに違いない――それがあいつにとって何より気がかりなことなんだよ。僕の目にはありありと情景が浮かぶんだ。あのちゃらちゃら男がフラニーをタクシーで駅まで送り、列車に乗せながら、ハーフが終わる前に試合に戻れるかどうか気をもんでいるところが」

「ああ、もう、おまえとは話はできないよ！　金輪際できない。どうしておまえと話をしようなんて思いついたんだろう。おまえはバディーにそっくりだ。おまえは人が何かをするとき、そこに必ずねじくれた理由があると思っている。根性の悪い、身勝手な理由なしに、人が誰かに電話をかけてくることだってあるという風には、おまえは思わないんだね」

「思わないね。十のうちの九まではね。そしてこのレーンってやつは、その例外には断じて入らないよ。なあ、僕はある夜、フラニーが外出の支度をしているあいだに、そいつと二十分にわたって話をした。底なしに消耗な二十分だ。言わせてもらえば、あいつは巨大な空っぽだよ」。彼は剃刀の動きを途中で止めて考えた。「ええと、あいつは僕に何を言おうとしてたんだっけ？　何かしらすごく耳に心地良いことだ。なんだっけ？　……ああ、そう、そうだ。子供の頃、あいつはフラニーと僕の出る番組をラジオで毎週聴いていたと言った。そして彼が、あのとんちき野郎が、いったいどんなことをしたと思う？　あいつはフラニーをけなし、そのぶん僕を持ち上げようとしたんだ。おべっかを使い、自分のアイビーリーグ仕込みの知性をひけらかすという、ただそのためだけにさ」。ズーイは舌を突き出し、穏やかに修正されたブロンクス・チア（訳注　舌を両唇にはさんで震動させるあざけり）を送った。「おととい来やがれだ」と彼は言って、また剃刀を使い始めた。「おととい来やがれ、と僕は言いたい。アイビーリーグで大学文芸誌を編集しているすべてのお気取りカレッジ・ボーイたちにね。正直なペテン師の方がずっとまともだ」

　ミセス・グラスは奇妙に理解のある視線を、長いあいだ彼の横顔に投げかけていた。「相手はまだ大学も出ていないひよっこだよ。そしておまえときたらみんなをびくつかせるんだよ」と彼女は言った——彼女にしてはとても落ち着いた声で。「おまえはね、誰かをすっかり気に入るか、あるいはぜんぜん受け付けないかどちらかだ。もし相手が気に入れば、おまえは何しろ一人でしゃべりまくって、相手に言葉をはさむ隙《すき》も与えない。でも受け付けないときは——おおかたの場合はそうなんだけど——おまえはほんとに死人みたいにだんまりを決め込んで、おかげで相手は言わなくていいことを口にしてしまう。そういうのを私はいやというほど見てきたよ」

　ズーイは大きく振り返って母親の顔を見た。彼がそのとき大きく振り返って母親の顔をまじまじと見た様子は、長年のあいだ折に触れて、ほかの兄弟や姉妹（とりわけ兄弟たち）が大きく振り返って母親の顔をまじまじと見た様子と、寸分変わりなかった。そこにあるのは、手の施しようがなく見える偏見や常套句《じょうとうく》や月並みな表現の集積を貫いてときとして立ち上ってくる——それが断片的であるにせよないにせよ——真実に対する客観的な驚嘆だけではなかった。そこには賞賛があり情愛があり、何より感謝の念があった。そしてらしくなくというべきか否《いな》か、ミセス・グラスはこの「敬意」を、それが現れたときには常に悠然とした態度で受け取ることにしていた。息子なり娘なりが自分にそういう表情を向けると、彼女はつつましく優雅に相手を見返したものだ。今も彼女はつつましく優雅な顔をズーイに向けた。「おまえはいつもそうなんだよ」と彼女は言ったが、そこに非難の響きはなかった。「おまえもバディーも、自分が好かない相手に対する話し方を知らない」。彼女はそれについて熟考した。「愛せない相手、ということだね」と彼女は修正した。ズーイは髭剃《ひげそ》りの手を休めたまま、そこに立って彼女を見つめていた。「それは良いことじゃない」と彼女は言った――重々しく悲しげに。「おまえはバディーにどんどん似てくるよ。おまえの今の年くらいだったあの子にね。おまえのお父さんでさえそれに気づいている。最初の二分間で誰かのことが気に入らなかったら、おまえはその相手を永遠に受けつけない」。ミセス・グラスは表情を欠いた目で、タイルの床の先にある青いバスマットを見ていた。ズーイは彼女の気分を乱さぬよう、できるだけじっとそこに立っていた。「そんなに好き嫌いが激しいまま、この世界で生きていくことはできないよ」。ミセス・グラスはバスマットに向かってそう言った。それから再びズーイの方を向き、長いあいだ顔をじっと見ていた。その視線には言い諭すようなところは、皆無とは言わずとも、ほんの僅かしか含まれていなかった。「おまえがどのように考えようと、それとは関係なくね」

ズーイは彼女の顔をしばらく見返していたが、やがて微笑《ほほえ》んで鏡に顔を戻し、髭の剃り具合を点検した。ミセス・グラスは息子を見ながらため息をついた。そして身をかがめ、金属製のゴミ箱の内側に煙草の火を押しつけて消した。それとほぼ同時に新しい煙草に火をつけ、可能な限り鋭い口調で言った。「いずれにせよおまえの妹は、彼はすごく頭が切れるって言ってるよ。レーンのことだけどね」

「そりゃ要するにセックスが絡《から》んでいるからさ」とズーイは言った。「あの声を聞けばそれくらいわかる。わかりきったことじゃないか！」。最後の一筋の泡が、顔と喉《のど》から剃って落とされた。彼は片手で喉のあたりを慎重に触った。それからブラシを手に取り、顔の重要箇所にもう一度泡をつけた。「いいだろう、それでレーンは電話をかけてきて、いったい何を言おうとしたんだ？」と彼は尋ねた。「レーンによれば、フラニーのトラブルの原因は何なんだ？」

ミセス・グラスは座ったまま少しだけ、でも熱意を込めて身体《からだ》を前に傾け、そして言った。「つまり、レーンが言うには、今回のこの騒動のそもそもの原因は、フラニーがいつも持ち歩いているあの小さな本にあるっていうの。わかるでしょう。昨日もずっと読んでいたあの小さな本。どこに行くにも肌身離さず――」

「その本のことは知ってる。話を続けて」

「つまり、彼が言うには、レーンが言うには、あれはすごく宗教的な本なんだって。狂信的と言ってもいいようなものだって。あの子はそれを大学の図書館から借り出して、今ではたぶん自分も――」、ミセス・グラスはそこで話を中断した。ズーイが険のある警戒的な目で、母親の方を振り返ったからだ。「いったい何よ？」と彼女は尋ねた。

「どこから借り出したって？」

「図書館よ。大学の。どうして？」

ズーイは首を振った。そして洗面台の方にまた向き直った。髭剃りブラシを下に置き、薬品キャビネットを開けた。

「どうしたっていうのよ？」とミセス・グラスは強く尋ねた。「なんでそんな顔をするの？」

ズーイは返事をせず、剃刀《かみそり》の替え刃の入った新しいパッケージを開けた。それからそれまで使っていた替え刃を取り外しにかかった。そして言った。「あんたはずいぶん間抜けだよ、ベッシー」。彼は剃刀から刃を抜き取った。

「どうして私がそんなに間抜けなんだろう？　それからね、おまえは昨日その剃刀の刃を取り替えたばかりだよ」

　ズーイは表情も変えずに、新しい替え刃をかちりと取り付けた。そして二度目の髭剃りを開始した。

「私は質問しているんですけどね。どうして私がそんなに間抜けなんだろう？　あの子は大学の図書館からその小さな本を借り出したりはしなかった、そう言いたいわけ？」

「ああ、それは図書館の本なんかじゃない」とズーイは髭を剃りながら言った。「その小さな本の題は『巡礼は旅を続ける』というんだ。『巡礼の道』という題のこれもまた小さな本の続編なんだが、フラニーはそいつもいつも持ち歩いている。どちらもシーモアとバディーが使っていた部屋から持ち出されたものだ。その二冊は、僕の思い出せる限りずっとシーモアの机の上に置かれていた。ジーザス、ゴッド・オールマイティー（参ったね、まったく）」

「ああ、もう、神様の名をみだりに口にするんじゃないよ！　でもね、あの子が大学の図書館から借り出した本をずっと持ち歩いていたかもしれないなんて、考えただけでもそら恐ろしくて――」

「そのとおり！　実にそら恐ろしいことだよ。両方の本がシーモアの机の上に、これまで長年にわたって置かれていたということが、実にそら恐ろしいことだよ。気が滅《め》入《い》っちまうよ」

予想もしなかった、不思議なほど非戦闘的な響きが、ミセス・グラスの声に聞き取れた。「どうしても必要がなければ、私はあの部屋には入らないようにしている。それは知っているだろう」と彼女は言った。「目にしたくないんだよ。シーモアの昔の──あの子の持ち物を」

ズーイは素早く言った。「そうだな。悪かった」。母親の方は見ずに、まだ二度目の髭剃りを完全に終えてはいなかったにもかかわらず、彼は肩にかけていた洗顔タオルを取り、顔に残っていた泡を拭《ふ》き取った。「この話はしばらくやめよう」と彼は言って、洗顔タオルをラジエータの上にひょいと投げた。それは「リックとティナ」の脚本の表紙の上に落ちた。彼はねじを回して替え刃を抜き、蛇口の冷たい水でそれを洗った。

彼の謝罪は心からのものだった。ミセス・グラスにもそれはわかっていたが、つけこむ隙としてそれを利用する誘惑にはどうしても勝てなかった。たぶんそんな機会はたまにしかないからだろう。「おまえは親切じゃないよ」と彼女は剃刀の刃を洗っている息子に向かって言った。「おまえには親切心ってものがまるでないんだね、ズーイ。もう大人になったんだから、意地悪い気持ちになっても、ちょっとした親切心を発揮しようという姿勢が、少なくともその姿勢くらいは、あってもいいはずだよ。バディーは少なくとも場合によっては――」。彼女は息を吸い込むのと、はっと驚く動作を同時にやった。ズーイの剃刀が、新しい替え刃も含めて、金属製のゴミ箱の中に大きな音を立てて飛び込んだからだ。

ズーイには、剃刀をゴミ箱にたたき込もうというつもりはまずなかったはずだ。しかし左手が唐突に荒々しく振り下ろされたせいで、剃刀が手から飛んでいってしまったのだ。いずれにせよ、洗面台の脇《わき》に手首を思い切り打ちつけて痛い思いをしようという意思が本人になかったことは間違いない。「バディー、バディー、バディー」と彼は言った。「シーモア、シーモア、シーモア」。彼は母親の方に向き直っていた。剃刀が叩《たた》きつけられた音は彼女を驚かせ、警戒的にさせていたが、怖がらせてはいなかった。「そんな名前ばかり聞かされていると、うんざりして喉を掻《か》き切りたくなってくるぜ」。彼の顔は蒼白《そうはく》だったが、表情らしきものはほとんどうかがえなかった。「家じゅうに幽霊の匂《にお》いがする。死んだ人間の幽霊ならまだしも、まだ半分生きている人間の幽霊にまで取り憑《つ》かれるのは、金輪際ごめんだ。なんでバディーはしっかり腹をくくれないんだ。彼は何に依《よ》らず、シーモアがやったすべてのことを後追《あと》いしている。

あるいは後追いしようとしている。なんで自殺してそいつを完璧《かんぺき》にしないんだ?」

ミセス・グラスは一瞬だけ顔をしかめた。ズーイはすぐに彼女の顔から目を逸《そ》らした。そして身を屈《かが》め、ゴミ箱の中から剃刀を拾い上げた。「僕らはフリーク(見世物の異形人間)なんだ。フラニーと僕の二人はね」。彼は立ち上がってそう告げた。「僕は二十五歳のフリークで、彼女は二十歳のフリークだ。僕らがそうなったのは、あの二人のおかげだよ」。彼は剃刀を洗面台の端に置いたが、それはどのようにしても洗面台の中にずるずると滑り落ちていった。彼はすぐにそれを拾い上げ、今度はずっと指で摑《つか》んで持っていた。「その徴候はフラニーの場合、僕よりも少し遅れて出てきた。でも彼女もまたフリークなんだ。そのことは忘れないでくれ。はっきり言うけどね。僕はあの二人を何のためらいもなく殺しちゃうことができるよ。偉大なる教師たち。偉大なる解放者たち。まったくね。僕は誰かと昼食をとって、そこでまともな会話を交わすことすらできないんだ。すごく退屈しちゃうか、それとも偉そうに説教を垂れるかするものだから、少しでもまともな頭を持った相手なら、椅子《いす》を摑んで僕をぶん殴りたくなる」。彼は出し抜けに薬品キャビネットを開けた。そして数秒間、その中を半ば虚《うつ》ろな目でじっと睨《にら》んでいた。自分が何のためにそれを開けたのか忘れてしまったみたいに。それからまだ乾いていない剃刀を棚の所定の場所に置いた。

ミセス・グラスは静かにそこに座ったまま息子を見ていた。煙草《たばこ》は彼女の指のあいだで勢いなく燃えていた。彼がシェービング・クリームの蓋《ふた》を閉めるのを彼女は見ていた。溝を嚙《か》ませるのに少し手間取った。

「こんなこと誰も興味は持たないだろうけど、僕は今日に至るまで、まず『四つの偉大な誓願』を小声で唱えないことには、食事ひとつできないんだよ。フラニーも絶対に同じだ。それについては人の言うまま何を賭《か》けてもいい。連中はそれくらい僕らをみっちり訓練し――」

「四つの偉大な何だって？」とミセス・グラスは警戒しつつ口を挟んだ。

ズーイは洗面台の両側に手をつき、胸を僅《わず》かに傾けた。彼の目は琺瑯《ほうろう》の上に意味もなく向けられていた。すらりとした体つきにもかかわらず、その瞬間の彼は洗面台を上から思い切り押さえつけて、そのまま床を突き破らせようとしているように、そして実際それができそうに見えた。「『四つの偉大な誓願』だよ」と彼は言った。そして憎々しげに目を閉じた。「『いかに無数の人がいようと、彼らを救うことを誓います。いかに無尽蔵に情念が存在しようと、それらを消滅させることを誓います。いかにダルマ（仏法）が広汎《こうはん》なものであれ、それを修得することを誓います。いかに仏陀《ぶっだ》の真理が比類なきものであれ、それを会得することを誓います』。やっほー、ほら、ちゃんとできたぜ。コーチ、僕をゲームに出してください」。彼の目は閉じられたままだった。「まったくね《マイ・ゴッド》、僕は十歳のときからずっと、毎日三度の食事の前に必ず、これを口の中でこそこそ唱えてきたんだ。こいつを口にしないことには食事ができないんだ。一度ルサージと昼食を一緒にしたときに、それを唱えるのをやめようと思った。おかげでハマグリを喉に詰まらせちゃったよ」。彼は目を開き、眉《まゆ》をしかめた。しかしその奇妙な姿勢はまだ保っていた。「ここから出て行ってくれないかな、ベッシー？」と彼は言った。「真剣に言ってるんだ。お願いだから、頼むから、僕の沐浴《もくよく》を心安らかに終えさせてくれないか」。彼の目はまた閉じられた。そしてまた洗面台を床に押し込もうという姿勢に戻った。彼の頭は僅かに下に向けられていたが、それでもかなりの血の気が顔から失《う》せていた。

「おまえが早く結婚してくれるといいんだけどね」とミセス・グラスは不意に、切なげに言った。

ズーイももちろんのこと、グラス家の全員が、ミセス・グラスが口にするそのような突発的発言には馴《な》れっこになっていた。それはちょうどこのように感情が激しく燃え上がったただ中で、もっとも効果的にもっとも見事に花開いた。しかし今回、その一言はズーイの不意を捉《とら》えた。彼は主として鼻の穴から爆発的な音を——笑いとも、あるいは笑いの対極にあるものとも知れない音を——出した。ミセス・グラスはさっと不安げに身を乗り出し、それがどちらなのかを見定めようとした。それはとりあえず笑いだった。彼女はほっとして、もとの姿勢に復帰した。「本気でそう思っているんだよ」と彼女はなおも主張した。「なんで結婚しないんだい？」

それまでとっていた姿勢を緩めると、ズーイはズボンのポケットから、折り畳まれた麻のハンカチを取り出し、さっと広げた。そして二度か三度、それで洟《はな》をかんだ。ハンカチをしまい、言った。「僕は列車に乗って旅行をするのがとても好きなんだ。結婚すると窓際《まどぎわ》の席に座れなくなってしまう」

「そんなの理由にもならないでしょうが！」

「申し分のない理由だよ。もう出て行ってくれよ、ベッシー。ここで僕に平和なひとときを送らせてくれ。気分転換にエレベーターにでも乗ってきたらどうだい？　ところで、そろそろそのろくでもない煙草を消さないと、指をやけどしちゃうぜ」

ミセス・グラスはまたゴミ箱の内側で煙草の火を消した。それからしばらく、彼女は煙草の箱にもマッチにも手を伸ばさず、おとなしくそこに座っていた。そしてズーイが櫛《くし》を手にとって、髪にもう一度分け目を入れるのを見ていた。「そろそろへアカットをした方がいいんじゃないかしらね」と彼女は言った。「気の触れたハンガリー人か何かがプールから上がってきたばかりみたいに見えるよ」

ズーイはそれとわかる程度に微笑み、なおも数秒間髪をとかしていた。それからさっと振り向いた。そして母親に向けてしばし櫛を振った。「もうひとつ言っておくよ。忘れちゃう前にね。で、よく聴いてほしいんだ、ベッシー」と彼は言った。「もしまた何かアイデアが頭に浮かんだとしたら、たとえば昨夜《ゆうべ》のように、フィリップ・バーンズのかかりつけのろくでもない精神分析医に、フラニーのことで電話をかけようとか思いついたりしたら、その前に思い出してもらいたいことがある——僕があんたにお願いするのは、ただひとつだけだ。精神分析がシーモアに何をもたらしたか、そいつを思い出してくれ」。彼は強調するためにしばし口をつぐんだ。「聞こえたかい？そうしてくれるね？」

ミセス・グラスはただちに、かぶっていたヘアネットに必要のない修正を加えた。それから煙草とマッチを取りだしたが、そのまましばらく手の中に持っていた。「ひとこと言わせてもらえるならね」と彼女は言った。「フィリップ・バーンズの精神分析医に電話をかけると言った覚えはないよ。私はそうしようかと考えていると言っただけだ。それにだいいち、その人はそのへんのありきたりの精神分析医じゃない。とっても信心深いカソリックの精神分析医なんだ。そして私は思ったんだよ。ただ手をこまねいてあの子が苦しんでいるのを見ているよりは――」

「ベッシー、僕はあんたに今警告しているんだ。いいか、もしその男がとても信心深い仏教徒の獣医だとしたって、話は同じだ。もしあんたが電話を手にとって――」

「いちいちそういう嫌みを口にする必要はないよ。私はフィリー・バーンズのことを小さな子供の頃からよく知っている。おまえの父親と私は、彼の両親と何年にもわたって同じ舞台に立っていたんだ。そしてこれはまったくの事実なんだけど、あの子は精神分析医のところに通うことによって、まったく新しい、素晴らしい子供に生まれ変わったんだよ。このあいだもあの子の――」

ズーイは大きな音を立てて櫛を薬品キャビネットの中に叩き込んだ。それからいらいらした様子でその扉をぱたんと閉めた。「なんてあんたは間抜けなんだ、ベッシー」と彼は言った。「フィリー・バーンズねえ。フィリー・バーンズは無能な四十過ぎの、汗っかきの小男で、ずいぶん昔からロザリオと『バラエティ』誌を枕《まくら》の下に入れて寝ている。僕らは昼と夜くらい違う二つのものについて話をしているんだ。ねえ、いいから僕の言うことを聞いてくれ、ベッシー」。ズーイは母親の方にすっかり向き直って、その顔を注意深く見た。片方の手のひらを琺瑯の上にべったりと置いていた。まるでそれで身体《からだ》を支えているみたいに。「聞いてくれてるかな?」

ミセス・グラスは聞く体勢に入る前に、新しい煙草に火をつけ終えた。煙を吐き出し、実在しない煙草の灰を膝《ひざ》の上から払って落とした。そして陰鬱《いんうつ》な声で言った。「ちゃんと聞いているよ」

「よろしい。これはすごく真剣な話なんだ。もしあんたが――よく聞いてくれよ。もしあんたがシーモアのことについて考えられなかったり、あるいは考えたくなかったりするのであれば、どっかのとんちんかんな精神分析医に電話をかけて相談すればいい。そうすればいいいさ。テレビやら、毎週水曜日の『ライフ』誌やら、ヨーロッパ旅行やら、水素爆弾やら、大統領選挙やら、タイムズの第一面やら、ウェストポート＝オイスター・ベイＰＴＡの責務やら、なんでもいいけどその手の輝かしくノーマルなものごとの与える喜びに誰しもを適応させるのが得意な分析医にね。好きにすればいいさ。そして僕は断言するけど、これから一年も経《た》たないうちに、フラニーは精神病棟に入れられているか、あるいは焼けるように熱い十字架を両手に持ち、どっかの砂漠を目指して彷徨《さまよ》っているか、どちらかだろう」

ミセス・グラスは膝の上から、実在しない煙草の灰をまた少し払い落とした。「わかった、わかった――そんなに興奮しないで」と彼女は言った。「だから誰も電話なんてしてないじゃないか」

ズーイは薬品キャビネットの扉をぐいと開け、中をじっと睨み、爪《つめ》やすりを取りだして扉を閉めた。それから曇りガラスの張り出しの上に置いてあった煙草を取り、煙を吸い込もうとした。しかし火は消えていた。母親は「ほら」と言って、キングサイズの煙草の箱と紙マッチを差し出した。

ズーイは煙草を一本取り出し、口にもちゃんとくわえ、マッチで火をつけた。しかし頭の中が考えごとで満杯だったので、うまく火をつけられなかった。彼はマッチの火を吹き消し、煙草を口からとった。そしていらいらした様子で小さく首を振った。「わからないな」と彼は言った。「僕が思うにこの街のどこかには、フラニー向きの精神分析医がきっと人知れず潜んでいるはずなんだ。そのことについて昨夜ずっと考えていた」。彼は軽く顔を歪《ゆが》めた。「でも僕はたまたま、そういうやつを一人も知らない。もし多少なりともフラニーの役に立つようなら、その分析医はかなり風変わりなタイプであるはずだ。どう言えばいいんだろう。そいつはそもそも精神分析を学ぶことを志したのは、神の恩寵《おんちょう》のおかげだと信じているような人間でなくちゃならない。自分が診療資格を得る前にどっかのトラックにひかれなかったのは、神の恩寵のおかげだと信じているようでなくちゃね。自分の患者を多少なりとも助けられるだけの生来の知性を具《そな》えているのは、神の恩寵のおかげだと信じていなくてはいけない。優秀な精神分析医であって、しかもそんな考えを持ちそうなやつを、僕は残念ながら一人も知らない。しかしそういう考えを持つ精神分析医じゃなくては、フラニーは助けられないんだよ。きわめつけのフロイト派とか、きわめつけの折衷派とか、そのへんのおそろしく月並みな連中とかの分析にかかったなら――つまり自分の洞察や知性に対して理不尽かつミステリアスな感謝の念を抱いたこともないような人間の分析にかかったなら――フラニーは、シーモア以上に悲惨な状態に追い込まれてしまうはずだ。それを考えると、僕は心配でたまらないんだ。よかったらこの話はもうよしにしないか」。彼はゆっくり時間をかけて煙草に火をつけた。それから煙をふうっと吐き出し、その煙草を曇りガラスの張り出しの上に置いた。火の消えた煙草が置いてある隣に。そして少しばかりリラックスした姿勢をとった。彼は爪やすりを使って爪の内側をきれいにする作業にとりかかった。それは既に文句のつけようもなくきれいであったのだけれど。「もし僕を相手にこれ以上愚にもつかない話を持ち出さないでくれたら」と彼は少し間を置いてから言った。「フラニーが持ち歩いている二冊の本がどういうものなのか教えてやるよ。興味ある？　それともない？　もし興味がないのであれば、僕もわざわざ――」

「イエス。興味はあるよ。もちろんじゃないか！　私のことをいったい何だと思って

――」

「わかった。じゃあ、今からしばらく余計な口をはさまないでくれ」とズーイは言った。そして洗面台の角に腰のくびれをもたせかけ、爪やすりを使い続けた。「どちらの本も、十九世紀末のあるロシア人の農夫について書かれたものだ」と彼は言った。その声は徹底して実務的でありつつ、また物語を語るような響きをも持っていた。「彼はとても素朴で、気のいいやつなんだ。そして片腕が萎《な》えている。そのおかげで言うまでもないことだが、見事なる動物愛護精神に富んだフラニーにとって、彼はきわめて受け入れやすいものになっている」。彼は踵《かかと》を軸にして身体をくるりと回転させ、曇りガラスの張り出しの上にあった煙草を取り、煙を吸い込み、それからまた爪のやすりかけに戻った。「最初の部分でこの小さな農夫は言う。自分には妻があり、農地があった。しかし彼には知恵の遅れた弟がいて、住居を全焼させてしまった。そしてそのあとだったと思うんだが、妻もあっけなく亡《な》くなってしまった。いずれにせよ彼はそこで巡礼の旅に出ることにする。彼はひとつの問題を抱えている。生まれてからずっと聖書を読み続けてきたんだが、『テサロニケ人《びと》への手紙』の中にある『休むことなく祈れ』という一節の意味をどうしても知りたいと思う。その一節がなぜか頭を離れないんだ」。ズーイは手を伸ばしてまた煙草を取り、一服吸って、それから言った。「ほかにも似たような一節が『テモテ書』にもある。『それゆえに、どこにあろうと人が祈ることを私は望む』と。そして誰あろうキリスト本人もこう言っている。『人は常に祈らねばならない。力を弱めず』と」。ズーイはしばらく無言で爪やすりを動かしていた。顔には不思議に気むずかしい表情が浮かんでいた。「それでとにかく彼は、師となる人を求めて巡礼の旅に出る」とズーイは言った。「どうすれば休むことなく祈れるか、そしてそれは何ゆえなのかを、彼に教授してくれる誰かを求めて。とにかく歩いて、歩いて、歩き続ける。教会から教会へ、聖堂から聖堂へと。いたるところで司祭と会話を交わす。やがてようやくその意味を承知しているらしい、一人の質素な年老いた修道僧に出会う。その老僧は言う。常に変わらず神に受け入れられ、また神から『求められている』祈りは、イエスの祈りに他ならないと。つまり『主なるイエス・キリスト、我に恵みを与え給《たま》え』というものだ。実際の正確な全文は『主なるイエス・キリスト、あわれなる罪人である我に恵みを与え給え』というものなんだが、ありがたいことに二冊の本に出てくる熱心な実践者たちは誰も、この『あわれなる罪人である』という部分にとくに重きを置いていない。とにかくその老僧は、この祈りを絶え間なく唱えていたらどんなことが起こるのか、その説明をしてくれる。実際にその方法をひととおり手ほどきしてから、彼を家に帰す。そして——まあいろいろと長い話があるんだけど——しばらくするとその巡礼は祈りに習熟する。その祈り方をすっかり会得《えとく》しちゃったわけだ。彼は自分が手にしたその新しいスピリチュアルな生き方を大いに喜び、ロシア中を徒歩で旅してまわることにする。深い森を抜け、町や村を通り過ぎ、あらゆる場所をまわっていく。そして歩いている間も休むことなく祈りを唱え、出会う人すべてにその祈りの方法を伝授していくんだ」。ズーイはぶっきらぼうに顔を上げ、母親を見た。「聞いているかい、太っちょのドルイド（古代ケルト族の祭司）さん？」と彼は訊《き》いた。「それともただ、僕のゴージャスな顔に見とれているのかな？」

ミセス・グラスは立腹した声で言った。「もちろんちゃんと聞いてますよ！」

「わかった、わかった。話についてこられない人間がいると困るなと思っただけさ」。ズーイは高笑いした。それから煙草《たばこ》を一服した。そして指のあいだに煙草を挟んだまま、爪やすりをかけ続けた。「二冊の本の最初の方が『巡礼の道』で」と彼は言った。「そこでは主に、この巡礼が道中で体験した冒険が語られている。彼がどんな人々に出会い、人々に向かって巡礼が何を話し、彼らが巡礼に向かって何を話したか。実際のところ、彼はとっても素晴らしい人々に出会うんだよ。その続編の『巡礼は旅を続ける』は主に、どうして、何ゆえにイエスの祈りなのかということを対話形式で論考するかたちになっている。巡礼や、教授や、修道僧や、隠者のような人が、みんなでそれについて論議する。要するにそれだけの内容なんだ、実に」。ズーイはほんのちらりと目を上げ、母親の顔を見て、それから左手の爪の手入れに移った。「その二冊の本の目的はね、まだこの話にあんたが興味を失っていなければだけど」と彼は言った。「どうやらすべての人々に、イエスの祈りを休みなく唱えることの必要性と、それのもたらす恩恵について目を開かせることにある。最初はしかるべき教師——グルのキリスト教版のようなものだ——について修練を積み、いちおうのことを修得し、そのあとは自分一人でそれをきわめるように言われる。そこでいちばん大事なのはね、これは宗教おたくとか、自らを鞭打《むちう》つ狂信者とか、そういう連中のためだけの話じゃないってことなんだ。人は賽銭箱《さいせんばこ》から金を盗むことだってあるかもしれない。しかし盗みながらも、人は休みなく祈ることを求められている。悟りはその祈りとともにやってくるとされている。その前にではなく」。ズーイはあくまで学術的にその顔をしかめた。「本当に大事なのはね、時間の経過に従い、それが完全に自律的になっていくことなんだ。祈りは唇や頭から離れ、心臓の中心へと移動し、心臓の鼓動に添って自律的な身体機能となる。それからしばらくして、その祈りがいったん自動的なものとして心臓に組み込まれると、人はいわば事象の実相へと入っていくことができる。

どちらの本にもそれがいかなることなのか、具体的に記されていない。しかし東洋思想においては、人体にはチャクラと呼ばれる七つの精妙な中心《センター》がある。いちばん心臓に近いのがアナハタで、それはきわめて敏感で力強いものとされている。それがいったん活性化されれば、付随してもうひとつのセンターが活性化される。両眉《りょうまゆ》の間にあるアジナと呼ばれるものだ。要するに松果体だ。いや、あるいはむしろ松果体のまわりにあるオーラだ。そしてそれから、そのとおり、神秘主義者たちが『第三の目』と呼ぶところのものが開く。いや、こいつは何も目新しい話じゃないんだ。つまり、この巡礼の仲間たちが最初に始めたものじゃないということだ。これはインドでは、どれくらい昔からかは知らないけれど、ジャパムとして知られてきたものだ。ジャパムとは、神に対して人がつけた名前を、ただ繰り返し口にすることなんだ。あるいは神の化身――専門的な用語を使いたければ神の『アヴァタール』――につけた名前を。大事なのはね、人がその名前を長いあいだ、定期的に唱えていれば、文字通り心《ハート》から唱えていれば、遅かれ早かれその人は答えを得るということなんだ。いや、正確には答えじゃない。応答というべきだ」。ズーイは突然後ろを向き、薬品キャビネットを開け、爪やすりを元に戻し、見るからに短くなったオレンジ・スティック（訳注　オレンジウッドで作られている。爪の甘皮を処理するのに使われる）を取り出した。「いったい誰が僕のオレンジ・スティックを食べているんだ?」と彼は言った。そして手首で上唇の上の汗を簡潔にぬぐった。それからオレンジ・スティックを使って、爪のあま皮を押し戻していった。

ミセス・グラスは彼を見ながら、煙草の煙を深々と吸い込んだ。それから脚を組んで尋ねた。というか答えを迫った。「それがフラニーのやってることなのかい? つまり、あの子はそれをそのまま実践していると」

「と思うけどね。でもそいつは僕にじゃなく、彼女に訊いてくれ」

短い間《ま》があった。疑念を含んだ間だった。それからミセス・グラスは唐突に、それなりに思い切った口調で尋ねた。「それにはどれくらい時間がかかるの?」

ズーイの顔は愉快そうにさっと輝いた。彼は母親の方を向いた。「どれくらいかかるか?」と彼は言った。「ああ、そんなに長くはかからないよ。ペンキ屋たちがあんたの部屋に入りたがる頃までには終わっているだろう。そして聖人たちや菩薩《ぼさつ》たちが列をなして、チキン・ブロスの鉢を手に行進して入場する。ホール・ジョンソン聖歌隊が後方に控え、カメラが腰布を巻いた素敵なお年寄りの姿をとらえる。彼は山と、青い空と、白い雲を背景にしている。そしてすべての人々の顔に平安の色だ――」

「ああ、もう沢山。やめてちょうだい」とミセス・グラスは言った。

「やれやれ、ジーザス。僕はただ助けの手をさしのべているんだぜ。まったくねえ《マーシー》。

僕としてはあんたに、宗教的生活に何か不都合なところがあるという印象を持ったままでいてほしくなかったんだ。つまりね、多くの人々が宗教生活を敬遠するのは、そこではかなりの量のやっかいな修行やら忍耐やらが要求されるのだろうと思い込んでいるからなんだよ。僕の言う意味はわかるね？」。話し手がそこでさも嬉《うれ》しげに、演説のもっとも肝心な部分に入ろうとしていることは明白だった。彼は真面目《まじめ》そのものの顔で、オレンジ・スティックを母親に向かって振った。「この礼拝堂を出たらすぐに、僕が常々敬愛している小冊子をあんたに進呈したい。その本は、僕らが今朝話し合った細かいポイントのいくつかについて言及していると思う。『神は我が興趣』という本で、著者はホーマー・ヴィンセント・クロード・ピアソン・ジュニアという博士《ドクター》だ。この小冊子を読めばわかると思うんだけど、ドクター・ピアソンはきわめて明確にこう語っている。二十一歳になったとき、毎日少しの時間を取り分けておくようになった。僕の記憶では毎朝二分間、毎晩二分間だったと思う。そして一年めの終わりに、そのようなささやかな神への非公式訪問のおかげで、彼は年収を七十四パーセント増加させることができた。僕はその本を余分に一冊持っていると思う。もしよかったら――」

「ああ、もうおまえにはうんざりだよ」とミセス・グラスは言った。しかしその声はどことなくぼんやりしていた。彼女の目は再び、床の先にある懐《なつ》かしき友、青いバスマットへと向けられた。彼女はそこに座ってじっとそれを見ていた。一方ズーイはにこにこしながら、しかし唇の上に盛んに汗をかきながら、オレンジ・スティックを使い続けていた。ようやくミセス・グラスはとっておきのため息をひとつつき、ズーイに注意を戻した。彼はあま皮を押し戻しながら、足を軸にして身体《からだ》を朝の陽光の方に半回転させていた。息子の裸の、おそろしく狭い背中の線や面を見ているうちに、彼女の視線は徐々に実体を取り戻していった。実際のところものの数秒もたたないうちに、その目は今まで湛《たた》えていたすべての暗いもの重いものを投げ捨て、ファンクラブ的な賞賛に輝いていた。「おまえは肩幅がずいぶん広がって、きれいになったね」と彼女は声に出して言った。そして手を伸ばして、彼の腰のくびれに触れた。「あの常軌を逸したバーベル運動は、あまり良い結果を及ぼすまいと心配してたんだけど——」

「よしてくれよ、頼むから」とズーイははっと身を引き、語気荒く言った。

「よすって、何を？」

ズーイは薬品キャビネットの扉を開け、置き場所となっている隙間《すきま》にオレンジ・スティックを戻した。「とにかくよしてくれ。それだけだよ。僕のろくでもない背中に見とれないでくれ」と彼は言った。そしてキャビネットを閉めた。タオル・バーにかかっていた黒いシルクのソックスを手に取り、それをラジエータのところに持って行った。そしてその熱さにもかかわらず——あるいは熱いからこそ——ラジエータの上に腰掛けてそれを履き始めた。

ミセス・グラスは少し遅れて鼻を鳴らした。「背中に見とれないでくれだって？　よく言うね！」と彼女は言った。しかし彼女は侮辱されたように感じ、ちょっぴり傷ついた。彼女は息子がソックスを履くところを眺めていた。その顔には傷つけられたという思いと、洗濯したソックスに穴が開いていないかどうか長い歳月にわたって点検してきた人間の抑えがたい関心とが入り混じった表情が浮かんでいた。それから唐突に、わざとらしく大きなため息をついて立ち上がり、まったく仕方ないんだからという厳《いかめ》しい顔つきで、ズーイがあとにした洗面台に行った。彼女が最初にやった露骨なほど被害者めいた行為は、蛇口をひねって冷たい水を出すことだった。「使い終わったもののキャップをきちんと閉めるってことを、おまえがいつか覚えてくれると、嬉しいんだけどねえ」と彼女はたっぷり嫌みを込めて言った。

ラジエータの上で靴下どめをつけていたズーイは、顔を上げて母親を見た。「パーティーが終わったら早々に退散することを、あんたがいつか覚えてくれると、すごく嬉しいんだけどね」と彼は言った。「本気で言ってるんだぜ、ベッシー。僕は束《つか》の間《ま》一人になりたいんだ。ぶしつけな言い方で悪いけどね。まずだいいちに僕は急いでいる。二時半までにルサージのオフィスに行かなくちゃならない。その前にダウンタウンで済ませたいことがいくつかある。さあ、もう行ってくれないかな。もしよろしければ」

ミセス・グラスは雑用の手を休めて振り返り、息子の顔を見て、長年にわたって子供たち全員を苛立《いらだ》たせてきた例の質問を口にした。「出かける前に昼ご飯を食べていくんだろう?」

「ダウンタウンで何か軽く食べる……靴のもう片方はどこにいったのかな?」

ミセス・グラスは息子の顔をまじまじと見つめた。「おまえには出かける前に妹と話をするつもりがあるのか、それともないのか、どっちなの?」と彼女は尋ねた。

「わからないよ、ベッシー」とズーイは微《かす》かにためらったあとで答えた。「同じことばかり訊かないでくれよ。もし今朝、僕に何か目覚ましいことが言えるのなら、喜んで言うさ。だからやいのやいの言わないでくれ」。片方の靴を履いて紐《ひも》を結び、もう片方の靴を見つけられないまま、彼は突然四《よ》つん這《ば》いになって、手でラジエータの下を探った。「ああ、ここにいたのか、こいつめ」と彼は言った。小さな浴室用の体重計がラジエータの横にあり、彼は探していた靴を手に、そこに腰を下ろした。

ミセス・グラスは彼がその靴を履くのを見ていた。しかし紐を結ぶところまでは見届けず、そこを離れた。ゆっくりと、普段は見かけないある種の重々しさを持って彼女は動いた。というか、ほとんど足を引きずっているようだった。それはズーイの気持ちを乱した。彼は目を上げ、少なからぬ注意をもって母親の様子を見やった。「あんたたちみんなに何が起こったのか、私にはもうわけがわからないよ」とミセス・グラスは振り向きもせず、とりとめのない声で言った。タオル・バーのひとつの前で止まり、洗顔タオルをまっすぐに直した。「その昔、ラジオに出ていた頃、みんながまだ小さかった頃、おまえたちはみんなとても——頭が良くて、幸福そうで、そして——ただただ可愛らしかった。朝も昼も夜もね」。彼女は身を屈《かが》め、妙にブロンドっぽい長い毛髪のようなものを床の上から拾い上げた。そしてそれを手に、ゴミ箱に立ち寄るべくほんの僅《わず》か回り道をして言った。「もしそれで幸福になれないのなら、たくさんの知識を持っていたって、頭が面白いように切れたって、どんな意味があるんだろう？」。再びドアに向かう彼女の背中はズーイに向けられていた。「少なくとも昔は、おまえたちみんなお互いに対して優しく親切だったし、それを見ているのは大きな喜びだった」。彼女はドアを開け、首を振った。「なにしろ喜びだったんだよ」と彼女はきっぱりと言った。そして部屋を出て、ドアを閉めた。

ズーイは閉まったドアを見ながら、深く息を吸い込み、ゆっくりと吐いた。「大した退場の台詞《せりふ》を残してくれるじゃないか、まったく！」と彼は母親の背後から声をかけた。しかしそれは、廊下を歩き去って行く彼女の耳にその声はもう届くまいと確信したあとのことだった。

グラス家の居間は、これからまさに壁の塗り替え作業がなされようとしている部屋からはとことんほど遠い状態にあった。カウチにはフラニー・グラスがアフガン毛布をかぶって、横になって眠っていた。床全面に敷き詰められたカーペットははがされもせず、縁が丸められたりもしていなかった。まるで小さな倉庫並みに混み合った家具は、常日頃の定位的、あるいは流動的な配置を守っていた。部屋はマンハッタンのアパートメント・ハウスの基準からしても、とくに広いとは言えなかったが、そこに詰め込まれた大量の家具調度は、ヴァルハラ城の大広間をさえこぢんまりとした心地よい場所に見せたかもしれない。スタインウェイのグランド・ピアノがあり（蓋《ふた》はいつも開けられている）、三台のラジオがあり（一九二七年製のフレッシュマン、一九三二年製のストロンバーグ・カールソン、一九四一年製のＲＣＡ）、二十一インチのスクリーンをもったテレビがあり、四台の卓上置き型のレコード・プレーヤーがあり

(そこには一九二〇年製のヴィクトローラも含まれており、そのスピーカーは無疵《むきず》のままてっぺんに堂々装備されている)、シガレット・テーブルとマガジン・テーブルがどっさり、公式サイズのピンポン台(幸い折り畳まれ、ピアノの背後に仕舞い込まれている)、四脚の座り心地の良い椅子《いす》、八脚の座り心地の良くない椅子、十二ガロンの熱帯魚用水槽(文字どおりぎりぎり危ういところまで水が張られ、二本の四十ワット電球で照らされている)、一脚のラブ・シート、フラニーが現在横になっているカウチ、二つの空っぽの鳥かご、桜材の書き物デスク、そしてフロア・ランプやらテーブル・ランプやら「ブリッジ」ランプやらが、それら混雑した構成要素の頭上にウルシのごとくにょきにょきと頭を出している。腰の高さの本棚の列が壁三面にわたってつらなっている。どの棚にも本がぎっしりと詰め込まれ、その重みで文字通りたわんでいる。そこに並んでいるのは子供の本、教科書、古本屋の本、ブック・クラブの本、それに加えてアパートメントの非共有的なもろもろの別枠から溢《あふ》れ出てきた、更に一貫性を欠いた諸々《もろもろ》の本だ(『ドラキュラ』が『初級パーリ語』の隣にある。『ソンム川の少年同盟』がエミリー・ディッキンソンの『メロディーの閃光《せんこう》』の隣にある。『甲虫《かぶとむし》殺人事件』と『白痴』が一緒になっている。『少女探偵ナンシー・ドルーと秘密の階段』がキルケゴールの『恐怖と戦慄《せんりつ》』の上になっている)。たとえ決然と意思を固めた堅忍不抜のペンキ屋のチームがそれらの本棚をなんとか処理できたとしても、その背後に控える壁を前にしたら、自尊心ある職人なら誰でも組合員証《ユニオン・カード》の返上を申し出ただろう。本棚の上から、天井の下一フィート足らずのところに至るまで、漆喰の壁は「架けもの」ときわめてゆるく総称されるものによってほぼ完全に覆《おお》われているのだ。泡のような膨らみの入ったウェッジウッド・ブルーの壁が僅かな隙間からかろうじて散見される。「架けもの」の内容は、額入りの写真や、黄ばんだ私信や大統領からの手紙や、ブロンズやシルバーの記念銘板《プラーク》のコレクション、あるいはまたどうやら感状らしき書類や、様々な形と大きさを持つトロフィー状の物体、そういうあれこれのいかにもとりとめない寄せ集めである。それらは皆なんらかの形で、一九二七年から一九四三年の終わり近くまで全国ネットで続いた『イッツ・ア・ワイズ・チャイルド』というラジオ番組のパネリストとして、グラス家の七人兄弟姉妹のうちの一人が（おおかたの場合二人が）が出演していないことはまずなかったという驚嘆すべき事実を証明するものだった（かつてのパネリストの中で今では最年長になっている、三十六歳のバディー・グラスにことあるごとに、この両親のアパートメントの壁を、「アメリカにおける商業化された少年期及び初期思春期への目で見る賛歌」と呼んだ。彼は自分が田舎からニューヨークに戻ってくる回数が少なく、その間が空きすぎていることをしばしば悔やんだ。そしてきわめて長々と言葉を尽くして指摘するのだった。ほかの兄弟姉妹たちの大半が今でもニューヨークかニューヨーク近辺に住んでいるのは、実に幸福なことなんだと）。壁をそれらのもので飾るのは実を言えば、子供たちの父親であるレス・グラス氏の思いつき――それはミセス・グラスの全面的な精神的賛同を得たものの、最後まで公式な承認を得ることはなかったのだが――によるものだった。グラス氏はかつては国際的に名の知れたボードビリアンで、疑いの余地なく、演劇人御用達《ごようたし》レストラン「サルディ」の壁のデコレーションに熱い不変の憧《あこが》れを抱いていたようだ。グラス氏の装飾家としてのおそらく最も独創的な達成は、今フラニー・グラスが眠っているカウチの背後、すぐ上のあたりに目にすることができる。そこには新聞や雑誌の切り抜きを集めた七冊のスクラップ・ブックが、それぞれの背表紙が近親相姦《そうかん》を思わせるほどぴったり密着した格好で、漆喰の壁に直接取り付けられた棚に並べられている。それらのスクラップ・ブックは長年にわたって、昔からの親しい友人たちや、たまたまそこを訪問した人々のみならず、おそらくは臨時に雇われた掃除女たちによってもぱらぱらとページを繰られ、あるいはじっくり閲覧されるべく、そこに堂々と位置してきた。

いちおう言及しておけば、その朝ミセス・グラスはじきやって来るペンキ屋たちのために、二つほど形ばかりの便宜をはかっていた。居間は廊下と食堂から入れるように、二つの入り口があり、それぞれにガラスのはまった両開きのドアがついている。朝食のあとすぐにミセス・グラスは、両方のドアにかかっているシルクのプリーツつきのカーテンを取り去った。しかる後《のち》、フラニーがチキン・ブロスをちびちび飲むふりをしているあいだに、彼女はその好機をとらえ、山地に住む牝山羊《めやぎ》顔負けの敏捷《びんしょう》さを発揮して窓下の腰掛けに駆け上り、上下式の三つの窓から、重いダマスク織りのカーテンを剝《は》ぎ取った。

　部屋は南向きの面だけが外に開けており、横向きの通りを隔てた真向かいには四階建ての私立女子校が建っていた。その学校は実に愛想のない、無味乾燥な外見の建物で、午後三時半ごろになって三番街や二番街の公立学校の子供たちがやってきて、石造りの階段のところで野球ごっこやジャックストーンズ（訳注　アメリカの子供が投げて遊ぶおもちゃ）を始めるまでは、活気らしきものはまず見られない。グラス家の所有するアパートメントは五階にあり、学校の建物よりは一階ぶん上に抜けていたので、この時刻には陽光が屋根の上から、むき出しになった窓を抜けて、居間にさんさんと降り注いでいた。その部屋に対して、陽光は親切心というものをみじんも持ち合わせていなかった。家具が古いとか、もともとがあまり美しくないとか、記憶や思いが染《し》みついているということもあるが、それだけではなく、部屋自体が長年にわたって数え切れないくらい多くのホッケーやフットボール・ゲーム（タッチ・フットボールだけではなく、そこには「タックルあり」も含まれていた）の競技場として使用されてきたことが大きい。とにかく傷を負っていない家具の脚はほとんど皆無と言っていい。また目の高さのあたりでは、実に多種多様の飛来物によってつけられた疵《きず》が数多く見受けられる。お手玉、野球のボール、おはじき、スケート・キー、消しゴム、そして一九三〇年代の初めには（その経緯ははっきり特定できるのだが）頭のない陶製の人形が飛んできたことさえあった。しかしながら、陽光が最も無情だった相手はカーペットかもしれない。そのもともとの色はワインレッドであり、少なくとも電灯の明かりの下では今でもその色に見えた。しかし今そこには、膵臓《すいぞう》のかたちを思わせるたくさんの色褪《いろあ》せたあとが浮かび上がっていた。それらはすべて、そこで飼われた数多くのペットたちが残していった、さして懐《なつ》かしいとも言えない記念物である。この時刻の太陽は部屋のいちばん奥、いちばん深いところまでその無慈悲な光を届かせる。そこにはテレビジョンのセットがあり、その一つ目巨人《キュクロープス》の瞳《ひとみ》は、瞬《まばた》きもせずに陽光を方形に反射させている。

リネン・クローゼットの敷居に立ったとき、その思考がもっとも直観的に、もっとも「直立的に」冴《さ》え渡るミセス・グラスは、彼女の最年少の子供のためにピンクのコットンのシーツで寝支度を整え、淡いブルーのカシミア・アフガン毛布をその上にかけてやっていた。フラニーは左側を下にし、カウチの背もたれと壁に顔を向けて寝ていた。あちこちに散らばったクッションのひとつに、その顎《あご》がほんの微かに触れていた。口は閉じられていたが、唇は軽く合わされているだけだ。しかしながら上掛けの上に置かれた彼女の右手は、ただ握られるのではなく、固く握りしめられていた。指には力が入り、親指は中に折り込まれている。もう二十歳になっているが、育児室における無言の、拳《こぶし》を固めた防御態勢に逆戻りしているらしい。そして部屋の他の部分に対しては同情を知らぬ太陽も、このカウチの上に対してだけは優美に振る舞っていたことをお断りしておこう。とても愛らしくカットされ、三日のあいだに三度洗われたフラニーの漆黒の髪を、太陽は豊かに輝かせていた。その太陽はまたアフガン毛布全体を照らし、淡いブルーの羊毛の上で遊ぶ温かく輝かしい光は、いつまでも見飽きないものだった。

ズーイは火のついた葉巻を口にくわえ、浴室から居間にほぼ直行してきた。そしてかなり長いあいだカウチの足元に立っていた。最初のうちは白いシャツの裾《すそ》をズボンの中にたくし込むのに忙しかった。それから袖《そで》のボタンをはめ、あとはただじっとそこに立って眺めていた。彼は葉巻の背後でむずかしい顔をしていた。そこにある息を呑《の》むような光の効果が、彼が日頃その趣味をあまり信用していない舞台監督によって「創案された」ものであるかのように。圧倒的に整った顔立ちや、その年齢や、ほっそりとした体つき——服を着た姿は、若い体重不足の男性バレエ・ダンサーとしても通用しそうだ——にもかかわらず、葉巻はズーイにまったく似合わないというわけではなかった。そのひとつの理由は、彼は鼻の低い人間とは必ずしも言えなかったからだ。二つめの理由は、葉巻をくわえたズーイには、若い男たちによくある無理した気取りみたいなものはまるでうかがえなかったからだ。なにしろ彼は十六歳のときから葉巻を吸ってきた。そして十八歳になってからは、習慣的に一日に十本以上を吸うようになった（そのほとんどは高価な細巻き葉巻だ）。

ヴァーモント大理石で作られたとても長い、長方形のコーヒーテーブルがカウチと平行に、ほとんどくっつくような格好で置かれていた。ズーイはつかつかとそこに行って、テーブルの上の灰皿と、銀の煙草《たばこ》ボックスと、「ハーパーズ・バザー」誌をどかせた。そして冷ややかな大理石の上にできた狭いスペースにじかに腰を下ろし、ほとんど上からのぞき込むようなかっこうで、フラニーの頭と肩に目を向けた。青いアフガン毛布の上で握りしめられた手を彼はちらりと見た。それから優しく、葉巻を持った手を妹の肩の上にそっと置いた。「フラニー」と彼は言った。「フランセス。さあ、起きようぜ。一日のうちのこんな素敵な時間を、寝て無駄にする手はないぞ。……さあ、起きろよ」

フラニーははっと目を覚ました。というか、まるでカウチが何かひどい障害物の上をどすんと通り過ぎたかのように、文字通り飛び起きた。片腕をついて身を起こし、「ううん」と言った。そして朝日に目を細めた。「なんでこんなに眩《まぶ》しいの?」。ズーイがそこにいることが、彼女にはまだ完全にはつかめていなかった。「なんでこんなに眩しいわけ?」と彼女は繰り返した。

ズーイはかなりつぶさに彼女を観察した。「ああ、僕は行く先々に必ず太陽を持ち込むんだよ」と彼は言った。

フラニーはまだ目を眩しげに半分つぶったまま彼を見た。「なんで私を起こしたわけ?」と彼女は尋ねた。まだ眠気がとれず、本気で不機嫌な声を出すことはできなかったが、そこに何かしら不当なものがあることを彼女が感じ取ったのは明らかだった。

「つまりさ……こういうことなんだ。ブラザー・アンセルモと僕は新しい教区を与えられたんだ。ラブラドル地方にね。そして僕らとしては、そこに向かう前に、もし君から祝福を受けることができたなら……」

「うううううん!」とフラニーはまた言った。そして片手を頭のてっぺんにやった。

当世風に短くカットされた彼女の髪は、寝起きでもほとんど乱れはなかった。その髪は――見るものにとってまことに喜ばしいことに――真ん中に分け目をつけられていた。「ああ、すごくひどい夢を見たわ」と彼女は言った。彼女は身を少し起こし、片手で化粧着の前をあわせた。それはタイ・シルクの仕立ての良い化粧着で、ベージュ色の地に、小さなピンク色のティーローズの模様が可愛《かわい》らしくついていた。

「話してごらんよ」とズーイは葉巻を一服して言った。「僕がその解釈をやってみよう」

彼女は身震いした。「それはもうひどい夢なの。すごく蜘蛛っぽくて。生まれてこの方、こんなに蜘蛛《くも》っぽい悪夢を見たことってなかったな」

「蜘蛛だって？　うむ、そいつはきわめて興味深いな。きわめて意味深い。何年か前にチューリッヒで、それに似た非常に面白い症例を扱ったことがある。何を隠そう君にとてもよく似た若い人で――」

「ちょっと静かにしていて。忘れちゃうじゃない」とフラニーは言った。彼女は悪夢を思い出そうとする人がよくそうするように、じっと空間の中を覗《のぞ》き込んだ。彼女の両目の下には半月形のくまができていた。そしてその他にも、深刻な問題を抱え込んだ若い娘特有の、もっと微妙なしるしがいくつか見受けられた。しかしそれにもかかかわらず、彼女が第一級の美人であることは、誰にも見逃しようがなかった。肌は美しく、顔立ちはほっそりして繊細で、人目を惹《ひ》いた。その瞳はズーイのそれとほとんど同じく、はっと驚くような青い色合いを湛《たた》えていたが、妹の瞳というものが当然（異論の余地なく）そうであるべきように、目と目のあいだがより離れていた。また彼女の瞳はズーイのそれのように、奥まで覗き込むのが一日仕事というような難解な代物《しろもの》ではなかった。四年ほど前のことだが、彼女が寄宿学校を卒業したとき、彼女が卒業生の席から彼に向かってにっこり笑いかけるのを見て、兄のバディーは陰鬱《いんうつ》に自らにこう予言したものだ。あの子はきっといつかしつこい空咳《からぜき》をするような男と結婚することになるぞと。そう思わせるところも彼女の顔にはあった。「ああ、やっと思い出したわ！」と彼女は言った。「私はどっかの水泳プールにいて、たくさんの人が私を水の中に潜らせるの。その底に沈んだ『メダリア・ドーロ・コーヒー』の缶をとってくるようにって。私が浮上するたびに、みんなはもう一度潜れって言うの。私は泣いて、みんなに言うの。『あなたたちだってちゃんと水着を着ているじゃない。どうして自分で潜らないのよ』って。でもみんなに笑って、あれこれ意地の悪いことを言い続けるだけ。そして私はまた水の中に潜っていく」。彼女はまた身震いした。「私と同じ寮の二人の女の子たちがいた。ステファニー・ローガンと、もう一人あんまりよく知らない子。実を言うと、私はその子のことをいつも気の毒に思っていた。なにしろひどい名前をつけられているの。シャーモン・シャーマン。彼女たちは二人とも大きなオールを手にしていて、私が水面に浮かび上がるたびに、それで叩こうとするの」。フラニーは両手を短く目にあてた。「うううん！」。そして首を振った。彼女はじっと考えた。「その夢の中でただひとつ変じゃないのは、タッパー教授が登場したことだけ。というのは、その人たちの中で私を実際に嫌っているのは、そしてそのことを私が知ってるのは、彼一人だけだったから」

「君を嫌っていると？　ほほう、そいつはきわめて興味深い」。ズーイは口にくわえた葉巻を指に挟んで、ゆっくり回転させた。まるで夢を解釈する人が、その事例のすべての事実をまだ手に入れていないときのように。彼はひどく充足しているように見えた。「なぜ彼は君のことを嫌っているのだろう？」と彼は尋ねた。「包み隠さずすべてを語ってもらえないとなると、君も承知のとおり、僕の両手はあたかも――」

「彼が私を嫌っているのは、私が彼の指導するろくでもない宗教ゼミをとっていて、彼がいくらオックスフォード仕込みの魅力をはらはらと振りまいても、どうしても微笑《ほほえ》み返す気になれないからよ。彼は武器貸与プログラムだかなんだかでオックスフォードから送られてきた教授で、おそろしくうらぶれた年寄りの、自己満足のいんちき男で、もつれた白い髪をかき乱しているの。教室にやってくる前に洗面所に入って、自分で髪をくしゃくしゃにしているんだと思う。そうに決まっている。何を論じるにせよ、彼には熱意ってものがぜんぜんないの。エゴはあるけど、熱意は持ち合わせていない。それはべつにかまわないのよ。とりたてて珍しいことじゃないから。でもね、彼は自分が『悟りを開いた』人間であり、私たち学生は彼のような人をアメリカに迎えられたことを大いに祝賀すべきだと、ことあるごとに匂《にお》わせるの。馬鹿《ばか》みたいに」フラニーは顔をしかめた。「自慢する以外に彼が生き生きとやっているただひとつのことは、誰かが何かを、本当はパーリ語なのにサンスクリット語だって言うたびに、それを訂正すること。私が彼に耐えられないということを、本人もちゃんと知っているの！　彼がこっちを見ていないときに、私がどれほど嫌な表情を顔に浮かべるか見てもらいたいわ」

「彼はプールで何をしていたんだろう？」

「まさにそこなのよ！　何もしていなかった。まったく何もしていなかった！　ただその辺に立って、にこにこして見物していただけ。そこでいちばんたちの悪いやつだった」

ズーイは葉巻の煙越しに彼女の顔を見た。そしてとくに熱意も込めずに言った。

「なあ、君はひどい顔してるぜ。それはわかってる?」

フラニーはじっと彼の顔を見た。「あのね、どうしてそういうことをいちいち言わなくちゃならないわけ?」と彼女は言った。それから言葉に意味を込めて付け加えた。「ねえズーイ、こんな朝っぱらから、また私のことをつっ突きまわしたりしないで。お願い。これ、本気で言ってるんだからね」

「君のことをつっ突きまわすなんてつもりはない」とズーイはやはりとりたてて熱意の感じられない声で言った。「君はただ、ずいぶんひどい顔をしている。僕が言いたいのはそれだけさ。どうして何か口にしないいんだ? ベッシーはチキンスープが用意してあるって言って――」

「もし誰かがこの先、もう一度でもチキンスープのことを口にしたら――」

しかしズーイの注意は既によそに逸《そ》らされていた。彼は太陽の光を浴びたアフガン毛布の、フラニーのふくらはぎから足首を覆《おお》っているあたりを見下ろしていた。「誰だ?」と彼は言った。「ブルームバーグか?」。彼は指を伸ばし、毛布の下のかなり大きな、奇妙な動きを見せる膨らみを優しくつついた。「ブルームバーグ? お前なのか?」

その膨らみは微《かす》かにうごめいた。フラニーも今ではそれに目をやっていた。「どうしても出て行ってくれないの」と彼女は言った。「この子、なんだか急に私に夢中になっちゃったみたい」

　ズーイの探るような指先の下で、ブルームバーグは突然伸びをした。それからゆっくりとトンネルを抜けて開けた土地に、フラニーの膝《ひざ》の上に出た。その愛嬌《あいきょう》のない顔が朝の陽光の中に差し出されるや否《いな》や、フラニーは猫の両肩の下に手を入れ、顔のすぐ前に抱き上げた。「おはよう、ブルームバーグちゃん！」と彼女は言った。そして両目のあいだに熱烈にキスをした。猫はいやがって眼を細めた。「おはよう、年寄りの臭《くさ》いでぶ猫ちゃん。おはよう、おはよう、おはよう！」。彼女は何度も何度もキスをしたが、猫の方には、好意を返そうとする気配は見受けられなかった。彼女の鎖骨の上に移ろうと、不器用でいくぶん乱暴な素振りを見せただけだ。斑《まだら》の灰色の、とても大きな去勢済みの雄猫だった。「なんだかやたら愛想がいいと思わない？」と彼女は驚嘆の声で言った。「この子がこんなに愛想よくなるってまずないことなんだけど」。彼女はおそらくは賛同を求めて、ズーイの方を見た。しかし葉巻の背後のズーイの表情は、意見の表明をあえて避けていた。「撫《な》でてやってよ、ズーイ。ほら、こんなに可愛いじゃない。撫でてやって！」

　ズーイは手を伸ばして、弓なりになったブルームバーグの背中を撫でた。一回、二回、そしてやめた。それからコーヒーテーブルから腰を上げ、ぶらぶらと部屋を横切ってピアノの方に行った。ピアノは横向きに、蓋《ふた》を大きく開けておかれていた。スタインウェイのピアノらしく、いかにも巨大で黒々としている。カウチからはちょうど部屋の反対側にあり、ピアノ・ベンチはフラニーとほとんどまっすぐ向き合っていた。ズーイはためらいがちにそのベンチに腰を下ろし、いかにも興味深そうに譜面台に置かれている楽譜に目をやった。

「この子はなにしろ蚤《のみ》だらけで、それはほんとに笑いごとじゃないのよ」とフラニーは言った。彼女はその猫を押さえつけ、なんとか穏和な飼い猫のようにそこに落ち着かせようと少しのあいだ格闘していた。「昨夜《ゆうべ》は十四匹もみつけたのよ。それも体の片側だけで」。彼女はブルームバーグの腰に手をあて、ぎゅっと強く下に押した。それからズーイの方を見た。「それで脚本はどうだった?」と彼女は尋ねた。「昨夜のうちになんとか届いたのかしら?」

ズーイはそれには返事をしなかった。「まいったね」と、なおも譜面台の上の楽譜に目をやりながら言った。「いったい誰がこんなものを持ち出したんだ?」。楽譜には『つれなくしないで、ベイビー』というタイトルがついていた。かれこれ四十年も前の曲だ。グラス夫妻の写真がセピア色で複製されて、表紙に使われている。ミスタ・

グラスはトップハットに燕尾服《えんびふく》、ミセス・グラスもまた同じ格好だ。二人はとても楽しげにカメラに向かって微笑みかけている。二人とも脚を大きく開き、細身のステッキをついて、身体《からだ》を前に傾けている。

「それはなあに?」とフラニーは尋ねた。「ここからは見えない」

「ベッシーとレス。『つれなくしないで、ベイビー』」

「ああ、それね」とフラニーはくすくす笑った。「昨夜レスが思い出に耽《ふけ》っていたのよ。私のためにサービスしてくれたわけ。私はただお腹《なか》が痛いんだって、彼は思っているの。そのベンチにしまってある楽譜をひとつ残らず持ち出していたわ」

「いやはやまったく、『つれなくしないで、ベイビー』から遠路はるばる、どのような成り行きで僕らがこのとんでもない魔境に着地することになったのか、知りたいものだ。ちょっと考えてもみろよ」

「思いつかない。考えようとはしたんだけどね」とフラニーは言った。「脚本はどうだった? ちゃんと届いたの? たしか、えーと、誰だっけ――ルサージさんとかなんとかいう人――がドアマンに預けていくっていう話で――」

「届いたよ、届いたよ」とズーイは言った。「でもその話はしたくないんだ」。彼は葉巻を口にくわえ、右手を伸ばして、ピアノの高音部のオクターブで、『キンカジュウ』

という曲のメロディーを演奏し始めた。それは彼が生まれる前にけっこう派手に人気が出て、やがて潮が引くように忘れられていった曲だった。「届いたというだけじゃない」と彼は言った。「ディック・ヘスは夜中の一時にここに電話をかけてきた。僕らのあのちょっとしたやりとりのあとでだよ。そして今から飲みにいかないかって誘いやがった。それも『サン・レモ』にだぜ。あいつはまさに今、ヴィレッジを発見しつつあるところなんだ。ああ、たまらないね！」

「ピアノのキーをがんがん叩《たた》かないで」とフラニーは彼の方を見ながら言った。「あなたがそこにずっと座っているつもりなら、私が演出家になるわ。これが私の最初の指示よ。ピアノのキーをがんがん叩かないでちょうだい」

「まず第一に、あいつはちゃんと知っているんだ。僕が酒を飲まないってことをさ。第二に、僕がニューヨーク生まれで、ああいう雰囲気にぜんぜん我慢ならないってことをあいつはよく知っている。第三に、僕の住まいがヴィレッジからなんと七十ブロックも離れたところにあることも、あいつにはわかっている。第四に、僕はあいつに三度も言ったんだぜ。僕はもうパジャマとスリッパに着替えてしまっているんだって」

「ピアノをがんがん叩かないで」とフラニーはブルームバーグを撫でながら指示した。

「でもだめだ、待てないって言うんだ。今すぐに会わなくちゃならない。ものすごく大事な用事なんだ、冗談抜きで。たった一度でいいから親切心を発揮して、すぐにタクシーをつかまえてこっちに来てくれって」

「そうしたの？　蓋もばたんと閉めないでね。これは二回目の――」

「ああ、相手の言うとおりにしたよ。僕には意思の力ってものが欠けているんだ！」とズーイは言った。彼はいらいらした様子で、しかし音は立てないように注意してピアノの蓋を閉めた。「僕の問題点は、ニューヨークにいるよそから来た連中に、誰一人として信を置けないということだ。そいつらが何年ニューヨークに住んでいようが、そんなこと関係ない。僕はいつも気をもんでいなくちゃならないんだ。連中が二番街のこぢんまりしたアルメニア料理店を開拓しようとしているときとか、あるいは何かその手のみっともないことをしているときとかに、車に轢《ひ》かれるとか、誰かにぶちのめされるとかするんじゃないかってさ」。気むずかしい顔をして、彼は『つれなくしないで、ベイビー』の表紙に葉巻の煙を一筋吹きかけた。「それでとにかく僕はそこまで行ったんだ」と彼は言った。「そこにはお馴染《なじ》みのディックがいた。すごく落ち込んで、すごくブルーで、明日の午後まで待てないような重要なニュースをしこたま抱えてね。ブルージーンズをはいて、頭がぐりぐりしちゃうようなスポーツ・ジャケットを着て、テーブル席に座っていた。デモイン（アイオワ州の州都）からニューヨークにやってきた国籍離脱者《エクスペイトリアット》だ。ぶっ殺してやりたかった。嘘《うそ》じゃなく。なんて夜だ。僕は二時間たっぷりそこに座って、あいつが僕に向かって、おまえは偉そうな顔をしたろくでなしで、おまえの家族は精神異常者とサイコパスの神童たちの集まりだって言うのを、おとなしく傾聴していたんだ。そして僕をひととおりみっちり分析したあとで――おまけに一度も会ったことがないバディーとシーモアのことまで分析しちまったあとで――その先の夜の時間、自分が腕っ節の強いコレットになるか、背の低いトマス・ウルフになるか決めかねて、精神的袋小路《ふくろこうじ》みたいなものにはまり込んでしまったところで、テーブルの下からやおらモノグラムつきのゴージャスなアタッシェ・ケースを取り出し、新しい一時間ものの台本を僕のわきの下に突っ込みやがった」。彼は片手で空中をさっと払った。まるでその話はもうやめたと言わんばかりに。しかしピアノ・ベンチから立ち上がる様子がいかにも落ちつかなげであるのを見ると、実際にはその話をやめたわけではなさそうだった。葉巻を口にくわえ、両手はズボンのヒップ・ポケットに突っ込まれていた。「長い長いあいだ僕はバディーが俳優たちの問題点をあれこれ並べ立てるのを聞いてきた」と彼は言った。「でもそんなことを言ったら、僕だってバディーに向かって、『私の知る作家たち』みたいなことをたらふく並べ立てることができるぜ」。彼は少しぼんやりしてそこに立っていた。それから意味もなく身体を動かし始めた。一九二〇年製のヴィクトローラ蓄音機の前で立ち止まり、無表情にそれを眺めていたが、ラッパ型スピーカーの内部に向かって、面白半分で二度吠《ほ》えた。フラニーは彼を見て笑ったが、ズーイは顔をしかめ、歩き続けた。一九二七年製のフレッシュマン・ラジオの上に置かれた熱帯魚の水槽のところで、彼は唐突に身を屈《かが》め、くわえていた葉巻を取った。彼は水槽の中をしげしげと覗《のぞ》き込んだが、そこには本物の興味の色が浮かんでいた。「僕のブラック・モーリーたちは今にも死に絶えそうだ」と彼は言った。彼はほとんど自動的に、水槽の脇《わき》に置かれた魚の餌《えさ》の容器に手を伸ばした。

「ベッシーが朝にもう餌をやったわよ」とフラニーは兄に注意を与えた。彼女はまだブルームバーグを撫でていた。そして暖かいアフガン毛布の外にある、微妙にして困難な世界に彼が順応するための手伝いを、無理矢理おこなっていた。

「みんな腹を減らしているように見えるけどな」とズーイは言ったが、それでも餌から手を引っ込めた。「こいつなんか、すごいやつれた顔をしているぜ」。彼は水槽のガラスを爪《つめ》の先でとんとんと叩いた。「おい、おまえに必要なのはチキンスープだよ」

「ズーイ」とフラニーは彼の注意を引くために言った。「どんな具合になっているの？　あなたは今、ふたつの新しい脚本を手にしている。ルサージがタクシーで持ってきてくれたやつの方はどうなの？」

ズーイはなおもしばし、じっと熱帯魚を見ていた。それから出し抜けに、しかし明らかに差し迫った衝動に駆られて、カーペットの上に仰向《あおむ》けになり、手足を大きく伸ばした。「ルサージから届けられた台本では」と彼は言って、脚を組んだ。「僕の役はリック・チャーマーズで、内容はまったくのところ、一九二八年のフランスの舞台からそのまま埃《ほこり》をはたいて持ってきたようなお上品な軽喜劇だ。唯一《ゆいいつ》の違いはコンプレックスやら抑圧やら昇華やらについての専門用語がふんだんに鏤《ちりば》められ、いかにも鮮やかに現代っぽく味付けされていることだね。そういうのはきっと脚本家が掛かりつけの精神分析医のところで仕入れてきたものだろう」

フラニーは兄の見える部分を見ていた。彼女の座っている位置からは、彼の靴の底と踵《かかと》しか見えなかった。「それでディックから渡された方はどうなの？」と彼女は尋ねた。「もう読んだ？」

「ディックの脚本の中では、僕は多感な若い地下鉄の車掌、バーニーを演じることになっている。テレビ・ドラマとしてはかつて類を見ないほど果敢にして、しっかりオフビートな代物《しろもの》だ」

「それ、本気で言ってるの？　本当にそんなに出来がいいの？」

「出来がいいとは言ってないぜ。果敢だと言っているだけさ。そこが考えどころなんだよ。それが放映された翌日の朝、会社中の人間がお互いを褒め合い、背中を叩き合う儀式を繰り広げることだろう。ルサージ、ヘス、ポメロイ、スポンサーたち。みんな勇気あふれる連中だ。そいつはたぶん今日の午後にでも始まるだろう。もしまだ始まっていなかったらだけどね。ヘスはルサージのオフィスに入っていって、こう言うだろう。『ミスター・ルサージ、私は新しい脚本を手にしているんです。多感な若い地下鉄の車掌を扱った話で、勇気と誠実さの匂《にお》いがふんぷんと漂っています。あなたはまず心優しくかつ胸を打つ脚本をお好みでしょう。そしてそれに次いで勇気と誠実さを持った脚本をお好きなはずです。この脚本にはなにしろ、その両方がむんむんと匂っているんです。そこにはアメリカの庶民の生活がみしみしと詰め込まれています。感傷的でもあり、かつ要所要所で暴力的です。そしていくつかの問題がその多感な地下鉄の車掌に重くのしかかり、人類やら名もなき人々《リトル・ピープル》やらに対する信頼が今にもくじけてしまいそうになったとき、九歳になる彼の姪《めい》が学校から帰ってきて、実に素晴らしく当を得た、排他愛国主義的な哲学を彼に語って聞かせるんです。アンドリュー・ジャクソン大統領の辺境出身の夫人から幾世代を経て、第五六四公立小学校へと訥々《とつとつ》と伝えられてきた代物です。こいつははずしっこありませんよ！　こいつは気取りがなく、単純素朴で、真実からほどよくかけ離れていて、我らが貪欲《どんよく》にして落ち着きなく、かつ無教養なスポンサーにもなんとか理解できるくらいよくよくお馴染みの、ありふれたものなんです』」。ズーイは突然身体を起こして、座る姿勢になった。「僕は風呂《ふろ》から上がったばかりで、豚みたいに汗をかいている」と彼は述べた。彼は立ち上がりながらフラニーの方を、心ならずもという様子で、ちらりと見た。そしてすぐにまた目を逸《そ》らそうとしたが、思い直してもっとまじまじと妹を見た。彼女はうつむいて、膝の上のブルームバーグをじっと見て、それを撫で続けていた。しかしそこにはちょっとした変化が見られた。「ああ」とズーイは言って、あえて面倒を求めるような様子で、カウチに近づいていった。「唇が動いておりますよ、マダム。またお祈りが始まったようですね」。フラニーは顔を上げなかった。「君はいったい何をしているんだね？」と彼は尋ねた。「大衆芸術に対する、キリスト教信者らしからぬ僕の罰当たりな姿勢から、目を背けようとしているのかな？」

フラニーはそこで顔を上げ、眼を細めて首を振った。そして兄に向けて微笑《ほほえ》んだ。しかしそれでもなお、その唇が動きをやめることはなかったし、今現在もまだ動き続けていた。

「僕に微笑みかけないでくれないか。頼むから」とズーイは抑揚を欠いた声で言った。そして歩いて少し遠ざかった。「シーモアはいつだって僕にそういう顔を向けていた。まったくこの家は微笑む人間だらけで、腐っちまう」。ひとつの本棚の前で、ズーイは列からはみ出した本を見つけ、親指で軽く押して背中を揃《そろ》え、それからまた歩み続けた。そして部屋の中央にある窓に行った。その窓は窓下の腰掛けによって、桜材のテーブル（そこでミセス・グラスは支払いの小切手を切ったり、手紙を書いたりする）から隔てられている。彼はそこに立って背中をフラニーに向け、両手をまたヒップ・ポケットに入れ、口に葉巻をくわえて外を見ていた。「この夏に僕は、映画の撮影のためにヨーロッパに行くことになるかもしれない。それは知ってた？」と彼は苛《いら》立《だ》ちを含んだ声で言った。「そのことは話したっけね？」

フラニーは興味を引かれたように彼の背中を見やった。「いいえ、そんなこと聞いてないわ」と彼女は言った。「ほんとに行くつもりなの？　どんな映画？」

ズーイは通りの向かいにある学校の、砕石舗装された屋根を見ながら言った。「ああ、そいつは長い話なんだ。フランスからやってきた男がいて、そいつが僕がフィリップと共演したアルバムを聴いたんだ。二週間ほど前に僕はそいつとランチを共にした。根っからのたかり屋だが、感じはなかなか悪くないし、どうやら今のところあっちじゃホットな存在らしい」。彼は窓下の腰掛けに片足を載せた。「まだ最終決定したわけじゃない。というか、あの手合いを相手に最終決定なんてものはあり得ないんだ。しかし僕は彼に、ルノルマン（訳注　アンリ・ルネ・ルノルマン、フランスの劇作家。一八八二―一九五一）の小説をもとにした映画を作るアイデアをかなりしっかり吹き込んでおいた。君にも送った本だよ」

「ああ、ズーイ、それってすごい話じゃない！　もし行くとしたら、それはいつのことになるの？」

「すごい話なんかじゃない。そこがまさに話のポイントなんだ。僕はその仕事を楽しむだろう。ああ、そうだよ、そいつはまさにそのとおりだ。しかし僕としてはぜんぜんニューヨークを離れたくないんだ。言わせてもらえば、僕はとにかく何がなんでも外国に出て仕事をしたがる、いわゆる『クリエイティブな人種』が大嫌いなんだ。そいつがどんな立派な動機を持っていようが、そんなことは関係ない。僕はここで生まれたんだ。ここの学校にも通った。ここで車にもはねられた。それも二回、同じ通りでだぜ。ヨーロッパで映画の撮影をするなんて意味のない話だ。まったくのところ」

フラニーは兄の白いブロード地のシャツの背中を、思慮深くじっと見ていた。それでも彼女の唇は無言のうちに言葉を形づくり続けていた。「じゃあなぜヨーロッパに行くの？」と彼女は尋ねた。「そんなに行きたくないのなら」

「なぜ僕がそこに行くか？」とズーイは振り向きもせずに言った。「僕がそこに行く主な理由は、自分が毎朝怒りながら目覚め、毎晩怒りながらベッドに入ることに心底うんざりしちゃったからさ。僕がそこに行くのは、まわりにいるすべての哀れな、潰《かい》瘍《よう》持ちっぽい連中に判決を下す役を、僕がここでつとめているからさ。そのこと自体はそんなに気にはならないんだけどね。少なくとも僕が判決を下すとき、それは僕のまったくの本音から下されているわけだし、そうやって下すすべての判決と引き替えに、自分が多かれ少なかれ、遅かれ早かれ厳しい代償を支払わされるであろうことを承知しているからさ。だからそのことはさして気にはならない。しかし自分でも我慢ができないことがある。ああ、ジーザス、僕が業界の連中のやる気に水を差してまわっていて、それを自分で目撃しなくちゃならないことが、もうこれ以上耐えられないんだ。僕がどういうことをしているか、正確に教えてやるよ。僕はみんなに『あんたたちの頭にあるのは、まっとうな優れた仕事をしようということじゃなく、あんたたちの知り合いみんなに――批評家やらスポンサーやら大衆やら、あるいは子供の通っている学校の先生なんかにまで――それは素晴らしいと感心してもらえる仕事をしようということだけなんだ』って感じさせてまわっている。それが僕のやっていることだ。最低のやり口じゃないか」。彼は学校の屋根に向かって顔をしかめた。そして指先で、額の汗を押すようにして拭《ふ》いた。それからフラニーが何かを言ったのを耳にして、そちらにさっと向き直った。「何だって？」と彼は言った。「よく聞こえなかった」

「なんでもない。私はただ『おお、ゴッド』って言っただけよ」

「どうして『おお、ゴッド』なんだ？」とズーイは苛立った声で尋ねた。

「なんでもないわ。そんなにつっかからないで。私は考え事をしていただけなんだから。ただそれだけ。土曜日の私をあなたに見てもらいたかったわ。あなたは自分がまわりの人々のやる気に水を差していることについて話している。私は実にレーンの一日をとことん台無しにしてしまったのよ！　毎正時に彼の前でしっかり失神しただけじゃなく、感じ良くフレンドリーで、ノーマルでお気楽でハッピーなフットボール試合を遠路はるばる見に行ったはずなのに、私は彼が口にすることの一から十まで、つっかかるか否定するか、あるいは——どう言えばいいのかな——ただくさすことになった」。フラニーは首を振った。まだブルームバーグを撫《な》でているものの、そこに気持ちは入っていなかった。目の焦点はピアノに合わされているようだ。「頭に浮かぶ意見をひとつ残らず口にせずにはいられなかったの」と彼女は言った。「それはたまらないことだった。彼の姿を駅で最初に目にしたときから、私は彼の意見や、彼の大事に思っていることや、そのほか何もかもを、次から次へととっちめていかないわけにはいかなかった。とにかく何もかもをよ。彼はフロベールについて、完璧《かんぺき》に人畜無害な、しっかり殺菌済みっぽい小論を書いたの。彼はそれをとても自慢にしていて、私に読んでもらいたがった。でも話を聞いていると、それは私にはすごく大学文学部っぽくって、青臭くお高くとまっているように感じられて、だから私としては――」。彼女はそこで言葉を詰まらせた。そしてまた首を振った。ズーイは彼女の方にまだ、足を軸にして回転するように半身《はんみ》を向けていたのだが、眼を細めて妹を見た。彼女は目覚めたときよりも更に青ざめて、どう見てもさっき手術を受けたばかりの患者のようだった。「彼が私を銃で撃たなかったのが驚きだわ」と彼女は言った。「もしそうしてくれていたら、むしろ褒め讃《たた》えてあげたいくらいなんだけど」

「その話は昨夜《ゆうべ》少しばかり聞いた。一度聞けばじゅうぶんだよ」とズーイは言った。そして再び窓の外に目をやった。「まずだいいちに、自分自身を厳しく責めるかわりに他人やらまわりのものごとにあたりまくるのは正しくないことだ。しかし僕らは二人ともそういう傾向を持っている。それと似たことを、僕はテレビ業界に向かってやっている。間違ったことだとわかっているんだが、どうしてもやめられない。それが僕らなんだ。僕はそのことをずっと君に言い続けている。その話になると、どうしてそんなにわかりが悪いんだ?」

「何もその話についてわかりが悪いわけじゃない。ただあなたが言ってるのはずっと――」

「それが僕らなんだ」とズーイは相手を遮るように繰り返した。「僕らはフリークだ。まさに畸形《きけい》人間なんだよ。あのろくでもない二人組が早いうちから僕らを取り込み、フリーク的な規範をせっせと詰め込み、僕らをフリークに変えてしまった。それだけのことなんだ。僕らはいわば見世物の刺青女《タトゥー・レディー》であり、それこそ死ぬまで、一瞬の平穏を楽しむこともできないんだ。ほかの全員が同じように刺青《いれずみ》を入れるまではね」。ずいぶん陰鬱《いんうつ》な顔で彼は葉巻を口にくわえ、一服しようとした。しかし火は消えていた。「何にも増して」とすかさず彼は続けた。「僕らには『ワイズ・チャイルド』コンプレックスが取りついている。僕らにとっていつまでたっても、本当の意味では放送は終了していないんだ。僕ら兄弟はみんなそうなのさ。僕らが普通に喋《しゃべ》るってことはない。ただまくしたててるだけだ。僕らが普通に会話することはない。僕らは講釈してしまうんだ。少なくとも僕はそうだ。通常の数の耳を持った人間とひとつ部屋に居合わせるたびに、僕はその瞬間にろくでもない預言者か、あるいは帽子の留めピン並みに寡黙《かもく》な人間になっちまう。まさに退屈の王子さ。昨夜にしてからがそうだ。『サン・レモ』の店内でね。僕はヘスがどうか彼の新しい脚本のプロットを説明してくれませんようにと祈り続けていた。彼がそれを用意していることが、僕にはわかっていたからね。その脚本を持たずしてうちに帰れないこともよくよく承知していた。それでも僕は祈り続けていた。せめて口頭での予告編だけは勘弁してほしいと。やつは馬鹿《ばか》じゃない。ちゃんと知っているんだ。おとなしく口を閉ざしておくことが僕にはできないってことをね」。ズーイは窓下の腰掛けに片足を載せたまま鋭く後ろを振り返り、母親の書き物テーブルの上にあった紙マッチをひったくるように取った。そして窓の方に、学校の屋根の方に身体《からだ》を向け、再び口に葉巻をくわえた。しかしすぐにそれを口からとった。「まったくあの野郎」と彼は言った。「あいつの愚かしさときたら超特大で、こっちの胸がつい痛んじまう。テレビジョン関係のやつってみんな同じだ。まあハリウッドも同じだし、そしてまたブロードウェイだって似たようなものなんだけどね。あいつらはこう思い込んでいるんだ。感傷的なものはすべて心優しく、野蛮なものはすべてリアリズムの血肉となり、暴力行為を呼ぶものはすべて正しいクライマックスになり得ると。そのクライマックスがたとえ――」

「あなたは彼にそのことを言ったの?」

「もちろん言ったとも! おとなしく口を閉じておけない性格だって、今言ったばかりじゃないか。もちろんはっきり口に出してそう言ったとも！　こんなやつ、このまま死んでしまえばいいんだと思いながら、一人で引き上げてきた。それとも僕らのどちらかが死ねばいいんだと。それが僕の方なら何も言うことないんだけどね。まあとにかく『サン・レモ』を本気で出ていこうと思ったらそれしかないだろう」。ズーイは窓下の腰掛けから足を下ろした。彼は後ろを振り向き、緊張し動揺した表情を顔に浮かべつつ、母親の書き物テーブルから背もたれのまっすぐな椅子《いす》を引いて、そこに腰を下ろした。そして葉巻に火をつけなおし、前屈《まえかが》みになり、落ち着きのない様子で桜材の天板に両腕を置いた。母親がペーパーウェイトとして使っている物体が、テーブルにはめ込まれたインク壺《つぼ》の隣に置かれていた。小さなガラスの球体で、黒いプラスティックの台座がついている。その中にはシルクハットをかぶった雪だるまが入っていた。ズーイはそれを取り上げて一振りし、そこに座って球体の中の雪が舞うのを凝視した。あるいは凝視しているように見えた。

フラニーはそんな兄の姿を見ながら、ひさしを作るように目の上に手をかざした。ズーイは部屋に差し込む光の太い柱の中にいた。もし彼を本気でずっと見ているつもりなら、彼女はカウチの上で座る位置を変えていたかもしれない。しかしそれでは膝《ひざ》の上で眠っている（らしい）ブルームバーグを起こすことになる。「あなたって、本当に潰瘍とかできているの？」と彼女は唐突にそう尋ねた。「母さんがそんなことを言っていたけど」

「そうだよ。僕は潰瘍持ちだ。実に。今はカリユガ（ヒンズー教における末世）なんだ。鉄器時代なんだ。十六歳以上で潰瘍持ちじゃないやつなんて全員スパイだ」。彼はスノードームを前よりもっと強く振った。「自分でも不思議なんだが」と彼は言った。「僕はヘスが好きなんだ。少なくとも、自分の芸術的貧困を僕の喉《のど》に押し込もうとしていないときの彼は好きだ。少なくともあいつは、誰もがびくついているあのスーパー保守主義的な、スーパー画一的な気違《マッドハウス》い屋敷の真ん中で、わけのわからんネクタイをしめて、詰め物をした冗談みたいなスーツを着ている。そして僕はあいつのうぬぼれが好きだ。あいつはあまりにもうぬぼれが強いんで、結果的にはおそろしく謙虚になるんだよ。おかしなやつさ。つまりね、あいつはテレビジョン業界というのは自分と、その笑っちまうほど勇猛果敢にして巨大な『オフビート風』才能にとことん相応《ふさわ》しい場所だと思い込んでいるんだよ、とことん真面目《まじめ》に。そういうのってさ、考えようによっちゃ笑えるくらいつつましい姿勢じゃないか」。彼は雪嵐《ゆきあらし》がいくらか収まってくるまで、スノードームをまじまじと眺めていた。「ある意味では僕はルサージのことも、それなりに好きなんだ。彼が手にしているものはすべて最高級だ。彼のオーバーコート、キャビンが二つついた彼のクルーザー、ハーヴァードで優秀な成績をとっている彼の息子、彼の電気剃刀《かみそり》、とにかくすべてだよ。彼は一度僕を、自宅の夕食に連れて行ってくれた。そのとき彼は玄関前で立ち止まって、僕に『亡《な》くなった女優のキャロル・ロンバード』を覚えているかと訊《き》いた。彼の奥さんはキャロル・ロンバードと瓜《うり》二つ、まさに生き写しなので、一目見てショックを受けないようにと警告を与えてくれたのさ。そのことだけで、僕は死ぬまで彼のことを好きでいられると思う。というのは彼の奥さんというのは実のところ、胸の大きな、ペルシャ人みたいな見かけの、とうのたった金髪女だったからさ」。ズーイはぱっと振り向いてフラニーを見た、彼女は何かを言ったのだ。「何だって？」と彼は尋ねた。

「そうね！」とフラニーは繰り返した。顔色は青白かったが、表情は晴れやかで、彼女もやはり、死ぬまでルサージ氏を好きであり続ける運命を背負っているように見受けられた。

ズーイはしばらくのあいだ黙って葉巻の煙を立てていた。「ディック・ヘスのことで僕が滅気《めげ》ちまうのはね」と彼は言った。「あるいはかくも悲しく思ったり、腹を立てたり、なんだっていいけどとにかく薄暗い気持ちになっているのは、彼がルサージのために書いた最初の脚本がなかなか悪くない出来だったからなんだ。実際の話、ほとんど良い出来と言ってもいいくらいだった。僕らが一緒につくった最初の映画だった。君は見ていないと思う。たしか寄宿学校に入れられていた頃だったから。その中で僕は若い農夫を演じていた。彼は父親と二人で暮らしているんだ。その青年は農業が好きになれず、彼と父親は生計を立てるのに日々ずいぶん苦労をしていた。だから父親が死んだとき、彼は所有していた家畜をすべて売り払い、大都会に出て行ってそこで新しい暮らしを始めようと夢を膨らませる」。彼はスノードームをもう一度取り上げたが、今度は振らなかった。台座を持って、それをくるくる回しただけだった。「いくつか素敵な場面があった」と彼は言った。「牝牛《めうし》を残らず売り払ったあとも、僕の足は彼らの姿を求めてつい放牧地に向かってしまう。そして都会に出て行く前に、恋人と最後の散歩をしたとき、僕は抑えがたく彼女を空っぽになった放牧地へと導いていく。やがて都会に出て仕事を見つけると、僕は暇な時間があれば、家畜置き場《ストックヤード》のあたりをうろついて過ごすようになる。そしてあるとき、大都会の混雑したメインストリートで左折した一台の車が、牝牛に姿を変えてしまうんだ。僕は走ってそのあとを追いかける。そのときちょうど信号が変わり、僕は車にはねられてしまう。牛の暴走《スタンピード》にあったみたいにね」。彼は雪だるまを振った。「それはたぶん『とても足の爪《つめ》を切りながら見ることなんてできない』というような傑作とは言えないだろう。しかしリハーサルのあとで、スタジオから家までこそこそ隠れて歩きたくなるような代物《しろもの》でもなかった。少なくともとても斬新《ざんしん》だったし、何はともあれ彼の作品だった。どこにでもある、いかにも今風の台本というんじゃなかった。やつが故郷に帰って、精神をしっかり充電してくれたらいいんだがと僕は切々と思っている。だからさ、みんな故郷に帰ればいいんだよ。僕はみんなの人生に水を差す役を演じることに、とことんうんざりしてしまった。ああもう、ヘスとルサージが新しい番組について、あるいは何でもいいけど、新しい何かについて話しているところを君に聞かせてやりたい。僕が姿を見せるまでは、二人とも豚みたいに幸福そうなんだ。そんなとき僕はまるで、シーモアのお気に入りの荘子《そうじ》が、みんなに用心するように警告した陰鬱な連中の一人になったような気がする。荘子は言った、『賢人めいた人が足をひきずってやってきたら、気をつけなくてはならない』ってね」。球体の中の雪がはらはらと舞っているのを、彼はそこに座ってまだじっと見ていた。「ときどきここにごろりと寝ころんで、そのまま静かに死んでしまいたくなる」と彼は言った。

そのときフラニーはピアノ近くの、カーペットの陽光を浴びて色褪《いろあ》せた箇所を見ていた。その唇ははっきりわかる程度に動いていた。「これはずいぶん変てこなことで、まさかと思うかもしれないけど」と彼女は言った。その声にはほんの微《かす》かな震えが聞き取れた。ズーイは彼女の方を見た。口紅をまったくつけていないせいで、顔の青白さが余計に強調されていた。「あなたの言ってることそっくり全部が、土曜日に私がレーンに言おうとしたこととといちいちつながるの。マティーニとカタツムリと何やかやの最中に、彼が私に対してあてこすりを言い出したときにね。私たちが参っているのはぴったり同じではないにせよ、きっと同じ種類のものごとだし、きっと理由も同じだと思うの。少なくともそんな感じがする」。ちょうどそこでブルームバーグが彼女の膝の上で立ち上がり、猫というよりは犬みたいに、もっとうまく眠れる位置をさがしてぐるぐると回り始めた。フラニーは気がなさそうに、それでも案内人のように猫の背中にそっと手を置き、話を続けた。「私は気が触れた人のように、声に出して自分に話しかけるまでになったの。『おまえの口からあと一言でも小うるさい、他人にけちをつけるような、非建設的な発言があったら、フラニー・グラス、おまえと私はもうおしまいだぞ――ほんとにおしまいだぞ』って。そしてそれからしばらくのあいだ、私はけっこううまくやれていたのよ。少なくともまるまる一ヶ月くらい、誰かがいかにも大学っぽいことや、いんちき臭いことや、エゴのかたまりみたいなことや、その手のぐちゃぐちゃを口にしても、少なくともおとなしく口を閉ざしていた。映画を見に行ったり、一日中図書館にこもっていたり、王政復古時代のコメディーとかについて必死にペーパーを書き出したり——とにかくありがたいことに、少なくともしばらくのあいだ、私は自分自身の声を聞かずにすんでいた」。彼女は首を振った。「でもある朝、バン・バン。またそいつが始まったわけ。どうしてかしら、私は一晩中眠れなかった。でも八時からフランス文学の講義があったから、仕方なく起きて服を着替え、コーヒーを作って飲み、キャンパスを歩いていったの。本当にやりたかったのは、自転車に乗ってすごく長い時間走りまわることだったんだけど、私が自分の自転車をスタンドから出す音をみんなが聞きつけるんじゃないかって心配だった。なにしろいつも決まって何かが倒れちゃうんだ。だから私は文学部のビルに行って、そこに腰を下ろした。長い間じっとそこに座っていたんだけど、やおら立ち上がって黒板いっぱいにエピクテトス（帝政ローマ期の哲学者）の引用を書き始めた。正面の黒板をそれで埋め尽くしてしまった。そんなにいっぱい彼の文章を覚えているなんて、自分でも知らなかったわ。でもみんなが教室に入ってくる前に、なんとかそれを全部消しちゃうことができた。そういうのって、なにしろすごく子供っぽい行為よね。エピクテトスはそんなことをする私を見て、間違いなく嫌な顔をしたでしょうね。でも……」、フラニーは躊躇《ちゅうちょ》した。「わからないわ。私はきっと黒板に誰か素敵な人の名前が書かれているのを見たかったのね。とにかくそうやってまた、あれが始まったの。私は一日中人につっかかるようになった。ファロン教授にもあたった。レーンと電話で話したとき、彼にもあたった。タッパー教授にもあたった。ものごとはどんどん悪化していった。ルームメートにまでひどいことを言うようになった。ああ、気の毒なベヴ！　彼女が『早くこの人が部屋から出て行って、かわりに少しでもいいから気持ちよい、ノーマルな人が入ってきて、ここにささやかな平穏をもたらしてくれないかしら』という目でこちらをちらちら見ていることに、私は気づくようになった。もうどうしようもなかった！　そして最悪な部分は、私は自分がどれくらい気の滅入る人間になっているか、自分でもちゃんとわかっていたということよ。自分がどれくらいみんなをうんざりさせているか、どれくらいみんなの感情を傷つけてもいるか、それはわかっていた。なのにどうしても抑えられない！　意地悪いことを口にするのをただやめられないの」。彼女は漠然と何かを考えるように口をつぐみ、ブルームバーグのもぞもぞするお尻《しり》のあたりを押さえつけた。「でも大学の教室にいるときが最悪だった」と彼女は意を固めたように言った。「それが何より最悪だった。つまりね、私は頭にひとつの考えを抱いたわけ。で、そいつを追い払うことができない。それは『大学だって、この世の財宝を積み上げるための、愚かしく空虚な場所のひとつに過ぎない』ってこと。財宝というのはつまり、文字通りの財宝よ。それがお金であろうが、資産でい。そして思いのあろうが、たとえ文化であろうが、たとえ単なる知識であろうが、何の変わりもない。いったん包装をはがしちゃえば、中身はそっくり同じものに思えた。そしてその思いは今でも変わらない。知識こそ――それがとりわけ知識のための知識であったりするとき――最悪だと思うこともある。少なくともそれがいちばん許せないの」。いららした様子で、そんなことをする必要は実はなかったのだけれど、フラニーは片手で髪を後ろにやった。「知識というものは、より大きな叡智へと繫《つな》がっていくべきだし、もしそうでなければ、知識なんてただの無益な時間の浪費に過ぎないという、お座なりでも表面的でもいいから、ちょっとした仄《ほの》めかしさえたまにあったなら――たまにというくらいでぜんぜんかまわないんだけど――私もここまで落ちこんだりしなかったと思う。でもそんなもののひとかけらもない！　叡智《えいち》が知識のゴールであるはずだなんて話は、大学のキャンパスではちらりとも耳にできないのよ。『叡智』という言葉さえほとんど耳にすることはない！　面白い話を聞かせてあげるわ。ほんとにとことん面白い話よ。私はもうほとんど四年大学にいるけれど――これは嘘偽りのない話よ――四年近くの大学生活の間に、私が記憶する限り、『賢人』という言葉を耳にしたのはただ一度きり、一年生のとき、それもなんと政治学のクラスでだった。そしてその言葉がいったいどんな文脈で使われたと思う？　それはね、株式市場で一財産築いて、そのあとワシントンに行ってローズヴェルト大統領の顧問になった、そのへんのしょうもない、愛想がいいだけのベテラン政治家を評するのに使われたのよ。それって、たまらないと思わない？　ほとんど四年も大学にいてよ！　みんながみんなそういう目にあっていると言うつもりはないけど、でもそのことを考えると気が動転して、とことん死んでしまいたくなる」。彼女はそこで話をやめ、ブルームバーグの世話に再び意識を集中しているようだった。彼女の唇は今では顔色と違いがわからないくらい蒼白《そうはく》になっていた。そしてまたほんの微かではあるけれどひび割れていた。

ズーイの目はこれまでと変わらず、妹の上に注がれていた。「ひとつ尋ねたいことがあるんだ、フラニー」と彼は切り出した。そしてまた書き物テーブルの表面に視線を戻し、顔をしかめて雪だるまを振った。「イエスの祈りについて自分がやっていることを、君はどう考えているんだ？」と彼は尋ねた。「それが昨夜《ゆうべ》、僕が知りたかったことだ。君がもう何も話したくないと言い出すまでね。君は財宝の蓄積について話す。金やら資産やら文化やら知識やら、なにやかやについて。でもイエスの祈りを追求していくことによって――どうか僕に最後まで話させてくれ――イエスの祈りを追求していくことによって、君だって何かしらの財宝を積み上げようとしているとは思わないのか？　そいつはすべての面において、他の物質的なものごとに負けず劣らず、兌換《だかん》性のあるものなんじゃないのか？　あるいはそれが祈りだというだけで、事情は一変してしまうんだろうか？　つまりさ、人がどっち側に自分の財宝を積み上げるかで——こっち側かそれともあっち側かで——話の筋は根本的に違ってくるものだろうか？　向こうには泥棒は忍び込めるけど、こっちには忍び込めないとか、そういうこと？　そこが大事な分かれ目になると？　なあ、ちょっと待ってくれ。どうか最後まで言わせてくれ」。彼は数秒間じっとしたまま、ガラスの球体の中の小さな雪嵐を眺めていた。「はっきり言わせてもらえば、君がそのお祈りに取り組んでいる様子には、何かしら僕をぞっとさせるものがある。君がそれを唱えるのを僕がやめさせようとしていると君は思っているんだろう。僕にそういう気持ちがあるかどうか、そいつは自分でもわからない。よくよく考えてみなくちゃならない問題だ。しかし君がいったいどういうつもりでその祈りを唱えているのか、それをはっきりさせてもらいたいんだ」。彼は少し迷った。しかしフラニーに口を挟む余裕を与えるほど迷いはしなかった。「きわめてシンプルなロジックを持ち出すなら、僕の見る限り物質的な財宝——もっと言えば知的な財宝だって同じだ——に貪欲《どんよく》になる人間と、精神的な財宝に貪欲になる人間とのあいだには、違いはまるでない。君が言うとおり、財宝はあくまで財宝だよ。まったくの話さ。そして歴史に登場するすべての厭世《えんせい》的な聖人の九十パーセントまでは、僕に言わせれば、ただのもの欲し顔のつまらん連中だ。基本的には僕ら俗人と何ら変わるところはない」

フラニーはできる限り冷ややかな声を出した。微かな震えもそこに混じっていた。「そろそろ口を挟んでいいかしら、ズーイ?」

ズーイは雪だるまを手から離し、鉛筆を取り上げて、それで遊び始めた。「いいとも、いいとも。遠慮なく口を挟んでくれ」と彼は言った。

「あなたが今言ったことは全部、私にもわかっている。あなたが指摘したことで、私がこれまで自分で思いつかなかったことはひとつもなかった。あなたが言いたいのは、私はイエスの祈りから何かを得たいと思っているということね。だから私だってセーブルのコートを欲しがったり、有名人になりたがったり、世間に高く評価してもらいたがっているような——あなたの言葉を借りれば——もの欲し顔の連中となんら変わるところはないんだと。そんなことくらいわかってるわよ! やれやれ、私のことをそんな馬鹿《ばか》だと思っているわけ?」。彼女の声の震えは高まって、今では言葉がうまく出てこないほどになっていた。

「わかったから、少し落ち着いてくれ。落ち着くんだ」

「何が落ち着いてくれ、よ! ほんとに頭に来ちゃうんだから! このとんでもない部屋で、私がいったい何をしてると思ってるわけ？　馬鹿みたいに体重を減らし、ベッシーとレスを死ぬほど心配させ、家の中を大混乱させて楽しんでいるとでも思ってるわけ？　自分が祈りを唱えることの動機について、あれこれ思い悩むくらいの頭が私にもあるとは、あなたは思ってもみないわけ？　まさにそのことが私の心を苛んでいるのよ。私が自分の求めるものを選り好みするからといって――今の場合はお金とか名声とか評価とか、そういうものの代わりに叡智とか平穏とかになるわけだけど――他のみんなみたいに自己中心的で、利己的人間じゃないということにはならない。それどころか、私なんか誰より自己中心的で、誰より利己的なわけよ！　そんなことよくわかっているし、かの高名なザカリー・グラスさんからわざわざ教えていただく必要はないの！」そこで彼女の声はぴたりと途切れた。そしてまたせっせとブルームバーグの世話に励み始めた。やがて涙がこぼれそうな気配があった。既にこぼれ始めているのでなければ。

　ズーイは書き物テーブルに、鉛筆をぎゅっと押しつけて、小さな吸い取り紙の広告面のOの字を黒く塗りつぶしていた。彼はしばらくそれを続けていたが、やがて鉛筆をインク壺《つぼ》の方にはじき飛ばした。それから銅製の灰皿の受け口に置いていた葉巻を手に取った。今ではもう長さ二インチくらいになっていたが、それでもまだ燃え続けていた。まるでその葉巻が一種の人工呼吸装置で、それ以外にこの世界で酸素を吸う手だてはないかのように、ズーイはその煙を深々と吸い込んだ。それからあたかも誰かに無理強いされたような素振りで、再びフラニーに視線を向けた。「今夜、バディーをなんとかして電話に呼び出してみようか？」と彼は尋ねた。「君は誰かと話をした方がいいと思うんだ。ところがこの僕はそういうのにまるで不向きときている」。彼は妹をまっすぐ見ながら返事を待った。「なあフラニー、それについてはどう思う？」

フラニーはうなだれるように下を向いていた。ブルームバーグの体の蚤《のみ》を探しているようだった。彼女の指は見るからにいそがしく動き回り、猫の毛の房をひっくりかえしていた。彼女は今ではもう本当に泣き出していた。しかしその泣き方の範囲は、言うなればずいぶん狭く限定されていた。涙は出ていたが、無音だった。ズーイはまるまる一分間、彼女の様子を子細に見ていた。それから優しいというのとも少し違うが、いくぶん控えめに言った。「フラニー、それでどうなんだい？　バディーと電話で話してみたい？」

彼女は顔を上げることなく首を振った。その手はまだ蚤を探し続けていた。それからしばらく間を置いて、彼女はズーイの質問に答えた。でもその声はほとんど聞きとれなかった。

「なんだって？」とズーイは聞き返した。

フラニーはもう一度言った。「私はシーモアと話がしたい」

ズーイは妹をなおしばらく眺めていた。その顔は基本的には無表情だったが、ただそのいかにもアイルランド的な長めの上唇の上には、汗が一筋浮かんでいた。それから彼はいつもの唐突さをもってくるりと向きを変え、Oの字を再び塗りつぶしにかかったが、すぐにまた鉛筆を置いた。書き物テーブルから、彼にしては珍しく緩慢な動作で立ち上がり、短くなった葉巻を手に、窓下の腰掛けに片足を載せた体勢に戻った。より長身で脚の長い人なら——たとえば彼の兄弟なら誰でもいいのだが——もっと自然な感じで片足を上にあげ、もっと自然な形で足を伸ばしたかもしれない。しかしズーイが片足を腰掛けに載せると、まるで踊り手がひとつの特殊な姿勢を維持しているかのような印象を与えた。

最初はちらちらと、やがては全面的に、彼の注意は窓の五階下の通りの向かい側で繰り広げられているささやかな情景に引き寄せられた。それは脚本家や監督やプロデューサーなどに邪魔されていない、実に類《たぐ》い希《まれ》な演技だった。かなり大振りな一本の楓《かえで》の木が私立女子校の正面に立っている。その通りの運の良い側にある四、五本の樹木のうちのひとつだ。ちょうど今、七つか八つくらいの少女がその木陰に隠れていた。ネイビー・ブルーの厚手のジャケットを着て、毛糸の縁なし帽をかぶっている。帽子は赤く、その赤はアルルのヴァン・ゴッホの部屋のベッドにかかった毛布の色あいを思わせる。実際ズーイの位置からだとその帽子は、絵筆の先でちょこんと絵の具をつけたあとのように見えなくもない。少女から十五フィートばかり離れたところに、まだ小さなダックスフントが一匹いる。それは彼女の犬で、緑色の革の首輪と紐《ひも》をつけている。犬はくんくんと匂《にお》いをかぎながら、少女を捜し求めている。紐をあとに引きずり、小走りに必死に輪を描いている。少女と離ればなれになった不安は、犬にはまさに耐え難いものだ。ようやく犬は女主人の匂いを嗅《か》ぎつけ、そのときには不安はほとんど限界に達している。再会の喜びは双方にとってまさに圧倒的だ。ダックスフントは小さく喜びの声をあげ、前屈《まえかが》みに縮こまり、感に堪えかねるように震えている。女主人は犬に何か声をかけ、樹木のまわりを囲んでいる針金の柵《さく》を急いで越え、犬を腕に抱きあげる。そして犬を賞賛する言葉を次々に口にする。そのゲームで使われる二人だけの秘密の言葉だ。それから犬を地面におろし、紐を再び手に取る。そして二人はすごく楽しげに西に向かって歩いていく。五番街とセントラル・パークの方に。やがてその姿は見えなくなる。ズーイは反射的にガラス窓の桟に片手をやる。まるで窓を押し上げて身を乗り出し、少女と犬が去っていく姿を見届けようとするみたいに。でもそれは葉巻を持っている方の手であり、またその逡巡《しゅんじゅん》は僅《わず》かに長すぎた。彼は葉巻の煙を吸い込んだ。「まったくなあ」とズーイは言った。「世の中には素敵なことがちゃんとあるんだ。紛れもなく素敵なことがね。なのに僕らはみんな愚かにも、どんどん脇道《わきみち》に逸《そ》れていく。そしていつもいつもいつも、まわりで起こるすべてのものごとを僕らのくだらないちっぽけなエゴに引き寄せちまうんだ」。彼の背後でちょうどそのとき、いかにも無邪気な奔放さでフラニーが思い切り洟《はな》をかんだ。その響きたるや、かくも端正でデリケートな見かけの器官から発せられたとは思えないほどすさまじい音だった。ズーイは少しばかり咎《とが》めるようにそちらを向いた。

フラニーはクリネックスの何束かと格闘していたが、彼の方を見た。「ああ、ごめんなさいね」と彼女は言った。「洟ひとつ自由にかめないわけ？」

「もう済んだ？」

「ええ、済んだわよ！　まったくもう。なんていう家族かしら。洟ひとつかむのも命がけなんだから」

ズーイは振り向いて、再び窓の外に目を向けた。そして短く葉巻を吹かし、学校の建物のコンクリート・ブロックの模様を目で追った。「二年ほど前にバディーが僕に、なるほどと思わせることを言った」と彼は言った。「どんなことだったか、うまく思い出せるかなあ」。彼は少しためらった。そしてフラニーはクリネックスとまだ格闘していたが、それでも兄の方を見やった。ズーイが何かを思い出そうと苦労している格好をするとき、彼のそのためらいぶりは常に兄弟姉妹の興味を惹《ひ》いたし、彼らをそれなりに楽しませもした。彼の迷いはほとんど常に見せかけのものだったからだ。たいていの場合、それは彼が『イッツ・ア・ワイズ・チャイルド』のパネリストとして送った人格形成期ともいうべき五年間から、そのまま受け継がれたものだった。彼は自分が一度でも深い関心をもって読んだことなら――あるいは耳にしたことだって――ほとんどすべてを瞬時に、通常一字一句違《たが》えずに引用することができた。しかしそういう途方もない能力は外には見せず、番組に出ている他の子供たちと同じように、額に皺《しわ》を寄せ、それなりの時間をかけて考え込む真似《まね》をする癖が身についてしまったのだ。彼の額には皺が寄せられていたが、こういう状況下でいつもそうするよりは心もち早いタイミングで口を開いた。かつての共演パネリストであったフラニーが彼のふりを見抜いている気配を察したかのように。「バディーはこう言った。一人の男が喉《のど》を切り裂かれ、丘の麓《ふもと》に横たわっている。ゆっくりだらだらと血を流して死にかけている。そこに、頭の上に完璧《かんぺき》なバランスをとって水瓶《みずがめ》を載せた可愛《かわい》い娘か、あるいは老婆《ろうば》が通りかかる。人間たるもの、そういうときには片腕をついてなんとか身を起こし、その水瓶が無事に丘のてっぺんまで着くかどうかをしっかり見届けなくちゃならないんだって」。彼はそれについて考えを巡らせ、軽く鼻を鳴らす。「僕としては、御本人がそいつを実際にやっているところを見届けたいものだがね、実に」。彼は葉巻の煙を吸い込んだ。「この家族は誰もかもが自分のろくでもない宗教を、それぞれ違うパッケージで身につけている」と彼は意見を述べたが、その口調にはどう見ても畏敬《いけい》の念は含まれていなかった。「ウォルトがとりわけ熱心だった。ウォルトとブーブーはこの家の中ではいちばん熱烈な宗教哲学を身につけていた」。彼は葉巻の煙を吸い込んだ。面白がりたくもないときに自分が面白がっていることをいましめるかのように。「ウォルトが一度、ウェイカーに向かってこう言ったことがある。この一家の全員は、前世の悪いカルマをそれぞれしこたま溜《た》め込んできたに違いないと。ウォルトは、ひとつの説を持っていた。宗教的生活なるものは、またそれに伴うすべての苦悩は、かくも醜い世界を創出したことで厚かましくも神様を非難する人間たちに対して、神様が吐き気を催してもどしたものなんだと」

　聴衆の反応が忍び笑いというかたちで、カウチの方から聞こえてきた。「それは初耳だったな」とフラニーが言った。「それでブーブーの宗教哲学ってどんなものなの？　彼女がそんなものを持っているなんて思わなかった」

少しのあいだズーイは口をつぐんでいた。それから言った。「ブーブーかい？　ブーブーはアッシュさんが世界を創《つく》ったと信じている。彼女はそれをキルバートの『日記』（訳注　フランシス・キルバート〈一八四〇―七九〉英国の牧師。その克明な日記によって知られる）から仕入れたんだ。キルバートの教区の子供たちが、世界を創ったのは誰かと質問されたとき、一人がこう答えたんだ。『アッシュさんです』と」

フラニーはそれを聞いて喜んだ。それも声に出して。ズーイは振り返って彼女を見た。そして――実に予測しがたい青年だ――とても渋い顔をした。まるで突然、すべての面白おかしいことを避けようと決めたみたいに。彼は片足を窓際《まどぎわ》の腰掛けから下ろし、短くなった葉巻を書き物テーブルの上にある銅の灰皿に載せ、窓際から離れた。そして両手をヒップ・ポケットに入れて、ゆっくりと部屋を横切った。それでも彼の頭には、どこか目指す方向がなくはないようだった。「ここでぐずぐずしているわけにはいかない。昼食の約束があってね」と彼は言った。そしてそう言いながらも身を屈め、熱帯魚の水槽の内部を、いかにも所有者らしい視線で悠然と点検した。そしてガラスを爪《つめ》の先でこんこんと執拗《しつよう》に叩《たた》いた。「僕だものの五分も目を離すと、みんなが寄ってたかって僕のモーリーたちを死なせちまうんだ。僕はこいつらを連れて大学に行くべきだったよ。そうなることはちゃんとわかっていたんだ」

「ねえズーイ、あなたは同じことをもう五年も言い続けている。そろそろ新しい魚を買ってくれれば」

彼はガラスをなおも叩き続けた。「君たち女子大生は度しがたいね。みんな金釘《かなくぎ》みたいに情知らずだ。あいつらはね、その辺の普通のブラック・モーリーじゃなかったんだよ。僕らは心を通い合わせていた」。そう言いながら彼はまたカーペットの上に仰向《あおむ》けになり、手脚をぐいと伸ばした。彼のほっそりした胴体は、一九三二年製のストロンバーグ・カールソン・テーブルラジオと、中身がこぼれ落ちそうな楓材のマガジン・スタンドの隙間《すきま》に、かなりぎりぎりのところで収まった。フラニーの位置から見えるのは再び、兄の履いた革靴の底と踵《かかと》だけということになった。しかしそうやって手脚をのんびり伸ばしていたと思う間もなく、さっと身体《からだ》を起こし、まっすぐな姿勢でそこに座り直した。おかげで彼の頭と肩が唐突にフラニーの視野に飛び込んできた。まるでクローゼットから死体が転がり出てきたような、一種薄気味の悪いコミカルな趣さえそこにはあった。「で、お祈りはまだ続けているのかい？」とズーイは尋ねた。それから兄の姿は再び視野から消えた。彼は少しの間そのままじっとしていた。やがてほとんど理解できないくらいきついお上品なメイフェア訛《なま》りで「わたくしといたしましては、もしお時間がおありならば、ミス・グラス、あなたとしばし言葉を交わしたいのでありますが」と言った。それに対するカウチからの反応は、明らかに不穏な気配を含んだ沈黙だった。「もしお祈りを続けたいのなら続ければいいさ。ブルームバーグと遊んでいたいのなら、遊んでいればいい。煙草《たばこ》を吸ってもかまわない。しかし僕に五分だけ話させてもらいたい。途中で口をはさまずにね。そしてできることなら涙はなしにしてもらいたい。それでいいかい？　ちゃんと聞こえてるのかな？」

　フラニーは即座には答えを返さなかった。彼女はアフガン毛布の下で両脚を身体に引き寄せた。眠り込んでいるブルームバーグも、ついでに抱いて引き寄せた。「聞こえているわ」と彼女は言った。それから両脚を更に引き寄せた。包囲戦を前にした砦《とりで》が跳ね橋を引き上げるみたいに。少し迷っていたが、やがて口を開いた。「何でも好きなことを言っていいわよ。喧嘩《けんか》腰《ごし》にさえならなければ。今朝の私は一戦構えたい気分じゃないの。正直な話」

「一戦構えようなんてとんでもない。そんなつもりはこれっぽっちもない。また僕にできないことがひとつあるとすれば、それは喧嘩腰になることだ」。話者の両手はその胸の上で穏やかに折り重ねられた。「そりゃときとして状況に応じて、多少ぶっきらぼうになるくらいはあるかもしれない。しかし喧嘩腰ってのはないね、断じて。僕の個人的感想を言わせてもらえば、常日頃から感じてきたことだが、効果を上げるにはむしろ――」

「ねえ、私は本気で言ってるのよ、ズーイ」とフラニーは、どちらかといえば兄の革靴に向かって言った。「それからできれば、ちゃんと身体を起こしてもらいたいんだけど。このあたりで何か騒動が持ち上がるとき、すごく不思議なんだけどいつも決まって、あなたがそうやって寝ころんでいるまさにその場所から火種が飛んでくるの。そしてそこに寝転んでいるのは、なぜか常にあなたなの。だからお願い、それだけはよして。ちゃんと起き上がってちょうだい」

ズーイは目を閉じた。「ありがたいことに、君が本気でそんなことを言ってるわけじゃないと、僕にはわかる。深いところではね。僕らは二人とも心の深いところでちゃんとわかりあっているんだ。このおぞましく呪《のろ》われた家で、ここが唯一《ゆいいつ》の浄《きよ》められた一画なんだということを。またここはたまたま、僕がかつてウサギたちを飼っていた場所でもある。そしてあいつらはまさに聖者だった。二匹ともね。実のところ、あいつらは世界で唯一の独身主義を守ったウサギたちで――」

「もう、よしてよ！」とフラニーは耐えかねたように言った。「話があるのなら、さ、っさと始めてよ。私があなたにお願いしているのは、今の私はこういう状態なんだから、多少の気配りをしてもらいたいということだけ。お願いしているのはそれだけ。私の知る限り、疑問の余地なく、あなたはこの世界でいちばん気配りというものを持ち合わせていない人なんだから」

「気配りがない！　よしてくれよ。ずけずけものを言う。そいつは確かだ。威勢がいい。こいつも確かだ。血気盛ん。快活である——おそらくは過度に。しかし僕に気配りが欠けているなんて、これまで誰ひとりとして——」

「気配りがないのよ、とにかく！」とフラニーは相手の声を圧するように言った。声にしっかり気合いを入れて、その一方で面白がっていることを顔に出さないようにつとめて。「今度具合が悪くなったとき、自分自身に会いに行ってみるといいわ。自分にどれくらい気配りが欠けているかよくわかるから！　こちらの調子が今ひとつのときにはね、あなたはなにしろ最悪の人間になるのよ。私の知る限り、この世界で最も近くにいてもらいたくない人間になるの。もし誰かが風邪をひいていたとして、ただの風邪よ、あなたはどうすると思う？　相手を見るたびにものすごくいやな顔をするの。私の知っている中では、あなたは文句なしにいちばん同情心のない人よ。ほんとなんだから！」

「わかった、わかった、わかった」とズーイはなおも目を閉じたまま言った。「そりゃまあ、欠点のない人間はいないさ」。そして声を高くしてファルセット気味にするのではなく、むしろソフトに薄くすることで、フラニーには毎度お馴染《なじ》みの、いつもながら真に迫った母親の物真似《ものまね》を彼はやってのけた。母親がいくつかの警告を子供たちに与えるときの声音だ。「私たちはついかっとなっていろいろときついことを口にするけどね、お嬢《ヤングレディー》さん、本気で言っているわけじゃないし、明くる日になったら自分が口にしたことをすごく後悔するものですよ」。それから彼はすぐに顔をしかめ、目を開け、数秒間じっと天井を睨《にら》んでいた。「まずだいいちに」と彼は言った。「きっと君はこう思っているんじゃないかな。僕がなんとかして君の祈りをやめさせようとしていると。でも僕にはそんなつもりはない。ほんとにない。君がそのカウチに横になって、そこで死ぬまで憲法の前文を暗誦《あんしょう》していたって、僕としちゃぜんぜんかまわないんだ。ただ僕がやろうとしているのは——」

「素敵な出だしじゃない。とっても素敵だわ」

「え、なんて言ったのかしら？」

「いいから、話を続けて。さっさと」

「今言いかけたのは、僕はそのお祈りに対して悪い感情は一切持っていないということだ。君がどのように思おうと。だいたい君が、それを唱えてみようと考えた最初の人間だってわけでもない。僕は巡礼向きのリュックサックを探して、ニューヨーク中の軍放出品専門店を巡り歩いたことがある。そこにパンくずを詰めて、全国を渡り歩こうというつもりだった。お祈りを唱えながらね。そして福音をみんなに広めてまわる。あの本のとおりのことだよ」。ズーイはそこで少し躊躇《ちゅうちょ》した。「この話をするのは、『僕だってかつては君のような多感な若者だった』みたいなことが言いたいからじゃない」

「じゃあどうしてそんなこと言うわけ?」

「なぜ僕がそんなことを言うのか? それはね、僕には二つばかり君に言いたいことがあるからさ。そして僕にはそれを言う資格がない、ということになるかもしれない。なぜかといえば、僕はかつてそのお祈りを唱えたいという強い願望を持ちながら、それを実行に移さなかったからだ。だから僕は君がそれを実行していることに対して、いささかの羨望《せんぼう》を覚えているのかもしれない。それはあり得ることだよ、実に。まずだいいちに僕はへぼな役者だ。僕は誰か別の人間がマリアを演じているときに、マルタの役をつとめることが嫌で仕方ないのかもしれない(訳注 ベタニアのマルタとマリアは姉妹。マリアが観想的であるのに対して、マルタは活動的・現実的であり、そのためにマルタはイエスに叱責される)。そんなことが誰にわかる?」

フラニーはそれには返事をしないことに決めた。しかし彼女は少しだけブルームバーグを近くに引き寄せ、奇妙な、意味のはっきりしない軽い抱擁をした。それから兄のいる方を見た。そして言った。「ねえ、あなたって親切な妖精《ようせい》みたい。そのことは知ってた？」

「そんなお世辞は控えてほしいね。あとでそれを撤回したくなるかもしれないからね。それでも僕は言わなくちゃならない。君が今やっていることの、いったいどんなところが気にくわないかをね。それを言う資格が僕にあるかないかは別にして」。ここでズーイは漆喰の天井をあてもなく、おおよそ十秒間ほど眺めた。それからまた目を閉じた。「まずだいいちに、僕はこの『椿姫《つばきひめ》』ごっこみたいなやり方が気にくわない。ここで、もうここからは僕の話に口をはさまないでくれよ。君は間違いなく破綻《はたん》の危機にある——そのことは僕にもわかっている。そして僕はそれをお芝居だとは思わない。そんなことを言うつもりはない。またそれを同情を求める意識下の訴えかけだとも思わない。あるいはそれに類する何かだとも。しかしそれでもなお、君のやっていることが僕は気にくわない。それはベッシーにとってはきついことだし、レスにとってもまたきついことだ。そしてあるいは自分でも気づいているかもしれないけど、君はいささか独善的な悪臭を放ち始めている。いいかい、この世界中のどのような宗教においても、独善性を正当化するお祈りなんてあるわけないんだ。何も君が独善的だと言っているわけじゃない。だからそこにおとなしく座っていてくれ。僕が言いたいのは、今回のこのヒステリックな君の言動はずいぶん見苦しいことになってきているってことさ」

「それでおしまい?」とフラニーは座ったまま、はっきり目に見えて前に身を乗り出して言った。彼女の声にはまた震えが戻っていた。

「いいから落ち着けよ、フラニー。頼むよ。ちゃんと最後まで話を聞くってさっき言ったじゃないか。いちばんすさまじい部分はもう片付けたと思う。僕が言おうとしているのは——いや言おうとしているんじゃなく、実際にこうして口に出して言っているのは——ベッシーとレスにはこれがすごくこたえているということだ。二人はずいぶん参っているし、君にだってそれはわかっているはずだ。まったくの話、君は知っているのか? レスが昨夜《ゆうべ》、ベッドに入る前に君のところに、なんと蜜柑《みかん》を届けると言い出したことを。やれやれ。あのベッシーでさえ、蜜柑なんてものが持ち出されたことには参っていた。僕だってそんなの参っちまうよ。もし君がこの神経衰弱的な大立ち回りをなおも続けたいのであれば、大学に戻って勝手にやってもらいたい。それが僕の切に望むところだ。君が末っ子かわいがりされていないところで。君に蜜柑を持っていってやろうなんて気になる人間が一人もいないところで。君のろくでもないタップシューズがクローゼットに大事に仕舞い込まれていないようなところで」

フラニーはそこで大理石のコーヒーテーブルの上に置かれたクリネックスの箱に手を伸ばした。手探りで、しかし音はことりとも立てずに。

ズーイは今では、天井の漆喰についた古いルートビールの染《し》みをぼんやりと見ていた。それは彼自身が十九年か二十年前に、水鉄砲を使ってつけたものだった。「僕を悩ませる次なることは」と彼は言った。「これもあまり美しくないことだ。でももうそろそろおしまいだから、できたらもう少しだけ我慢してくれ。君が大学で送っている、苦行に満ちた殉教者としてのささやかな私生活について——君が万人に対して挑んでいると思っているちっぽけな、鼻持ちならない聖戦について——僕にはまったく気にくわないことがある。でもここで僕が言わんとしているのは、たぶん君が考えているのとは違うことだ。だからもうしばらく口をはさまないでいてくれ。僕の見るところ、君は何より高等教育システムに対して闘いを挑んでいるらしい。ああ、どうか僕に飛びかからないでくれ——おおむねのところ僕は君と意見を同じくしているんだ。しかし君がそいつに対して行っている、すべてを一緒くたにするような攻撃については、どうしても好意を持てない。その問題について、僕はだいたい九十八パーセントまで君に同意している。しかし残りの二パーセントが僕を死ぬほど怯《おび》えさせるんだ。大学にいたとき、僕は君がこれまで話してきたような類型にあてはまらない一人の教授を知っていた——そう、たった一人ではあるけれど、それはとても大きな大きな意味を持つ一人だった。彼はエピクテトスと肩を並べるような人じゃなかった。しかし自我のかたまりみたいな人でもなかったし、いわゆる『花形教授』でもなかった。偉大ではあるが謙虚な学者だった。そしてもっと大事なのは、教室の中でも外でも彼が口にすることで、そこに本物の叡智《えいち》が僅《わず》かなりとも——あるいはときにはたっぷり——含まれていないことはまずなかったということだ。とにかく僕にはそう思えた。君が革命を起こし始めたとき、彼の身にいったいどんなことが起こると思う？ 僕はそれを考えることに耐えられない。だから話題を変えよう。君が罵《ののし》っている他の連中については、また別の話だ。タッパー教授。それから昨夜君が話していた二人のろくでもない連中、マンリアスともう一人。僕はそういう連中といやというほど関わり合ってきた。なにも僕だけじゃなく、みんなやはり同じような目にあっているんだよ。そしてそいつらは決して無害じゃないということにも同意する。無害どころか、致命的な被害をもたらしかねないやつらだ。ああ、神様。連中は手に触れるすべてのものを、とことん学究的で役に立たないものに変えてしまうんだ。あるいはもっとたちの悪いものに——偶像崇拝に。僕としては、毎年六月に学位を持ったできそこないの間抜けの群れが全国に野放しにされる最大の責任は、彼らにあると思っている」。ここでズーイは天井を見つめながら顔をしかめ、同時に首を振った。「でも僕が気に入らないのは——そして更に言えば、シーモアやバディーだってやはり気に入るまいと思うのは——そのような人々みんなについて語るときの君の口調なんだ。つまりさ、君は彼らが代表しているものを忌《い》み嫌うのではなく、彼らを忌み嫌っている。それでは個人的な次元の問題になってしまうんだよ、フラニー。ほんとだぜ。たとえばタッパー教授について話すとき、君の目には僅かながら、紛れもない殺意が光っている。彼が教室に来る前に、洗面所で髪をかき乱すというようなことだけどさ。そんな話だったよな。彼はたぶん本当にそうしているんだろう。彼についての君の話を総合すれば、実際にそんなことをやっていても不思議はない。まさかそこまでは、なんて言うつもりはない。しかしね、彼が自分の髪をどのように扱おうが、それは君とは何の関わりもない問題じゃないか。彼の気取った振る舞いを一種滑稽《こっけい》だと思うのは、まあ言うなれば、君の自由だ。そういう痛ましい格好づけをしなくちゃならないくらい自分に自信がないんだということで、彼を少しばかり気の毒に思ったっていい。しかし君が話をするとき——なあ、これは冗談抜きで言ってるんだが——君はまるで彼の髪が君の個人的な宿敵であるような話し方をするんだ。そいつは正しくないし、そのことは君にもわかっているはずだ。もし君がその〈システム〉に戦いを挑むなら、君は育ちの良い知性のある娘として、相手を撃たなくちゃいけない。なぜなら敵はそこにいるからだ。何も彼の髪型やらネクタイが気に入らないから戦うわけじゃないだろう」

一分かそこら沈黙が続いた。フラニーが洟をかむ音だけが、その沈黙を破った。捨て鉢な、長く引き延ばされた、「中身の詰まった」洟のかみ方だった。鼻風邪にかかって四日目というあたりだ。

「それは僕がいやったらしい潰瘍《かいよう》をつくったときとまるで同じ状況だよ。なんでそんなものができてしまったか知ってるかい？　あるいはその理由の、少なくとも九割がたを占めているものを君は知っているかな？　それはね、正しいものの考え方ができなくなったときの僕は、テレビジョンに関する、あるいはそういうもの全般に関する感情を、個人的な次元に貶《おとし》めてしまうからなのさ。つまり今君がやっているのとそっくり同じことをしていたわけだよ。僕ももう、そこそこの分別が身についていてもいい年齢なのになあ」。ズーイはそこで口をつぐんだ。視線をルートビールの染みに釘付《くぎづ》けにしたまま、鼻から深々と息を吸い込んだ。両手の指は相変わらず胸の上で絡《から》められている。「最後になるが」と唐突に彼は言った。「これはおそらく大爆発を引き起こすことだろう。でも言わないわけにはいかない。なにせこいつがいちばん肝心なことだからね」。彼は天井の漆喰に短く相談したようだった。それから目を閉じた。「君は覚えているかどうか知らないが、僕は覚えている。君はその頃、新約聖書からのささやかな離脱をはかっているところで、その騒ぎは何マイルも遠方まで響き渡るほどだった。当時うちの家族は全員ろくでもない軍隊にとられていて、それを聞かされるものといえば、僕くらいしか残っていなかった。そのときのことを君は覚えているかな？いくらかは思い出せる？」

「私はそのときまだ十歳だったのよ！」とフラニーは言った。鼻声で、かなり険悪な様子で。

「君が何歳だったか、よく知っているよ。当時の君の年齢はよく承知している。心配しなくていい。それを蒸し返して咎《とが》め立てしようというようなつもりはまったくないから。嘘《うそ》偽りなく。僕がこんな話を持ち出したのには、それなりの理由があるんだ。僕がこの話を持ちだしたのは、子供時代の君がイエスを理解していたとは僕には思えないし、今の君がイエスを理解しているとも思えないからだ。君は頭の中でイエスと、他の五人か十人くらいの宗教的人格を混ぜこぜにしていると思う。そして君の中で、誰が誰で何が何かということが明確にならない限り、イエスの祈りとともに君が前に進んでいくことは、おそらく不可能だろう。君のささやかな背教のきっかけになったのが何だったか、覚えているか？……フラニー？　それが何だったか、覚えているのかいないのか？」

答えは返ってこなかった。かなり暴力的に洟がかまれる音が聞こえてきただけだ。

「僕はね、それを覚えている。マタイ伝、第六章だ。ねえ、それを今でもはっきり覚えているんだよ。そのとき僕がどこにいたかだって覚えている。僕は自分の部屋にいて、ろくでもないホッケー・スティックに滑り止めテープを巻いていた。そこに君が飛び込んできた。聖書のページを大きく開いて、大騒ぎしながらね。君はもうイエスのことが好きではなくなったし、軍隊のキャンプにいるシーモアに電話をかけて、それについて話をすることはできないかなって僕に尋ねた。どうして君がイエスのことが好きじゃなくなったのか、その理由をまだ覚えているかい？　教えてやろう。まずだいいちに、彼がシナゴーグに入っていって、そこら中のテーブルやら偶像やらをひっくり返してまわったからだ。そんなことはとても粗暴だし、まったく不必要でもある。ソロモンみたいな人であれば、そんなことはしなかったはずだと君は確信していた。それともうひとつ、君が認めるわけにいかなかったのは――君が聖書のページを開いて示した箇所は――こういう一節だ。『鳥たちを見よ。彼らは種子《たね》を播《ま》くこともなく、収穫を刈り入れることもなく、それを納屋《なや》に集めることもない。それでもなお、汝《なんじ》らの天なる父は彼らに食物を与え給《たも》う』。そいつは間違っていない。素敵な一節だ。それは君も認めるよね。しかし続けてイエスはこう言う。「あなたがたはそれらのものより遥《はる》かに優れていると思わないか？」――そこで小さなフラニーは見事にぷつんと切れちゃったわけさ。そして小さなフラニーは聖書に愛想を尽かして、ブッダ方面に直行してしまった。ブッダは空を飛ぶ愛らしい鳥たちを悪く言ったりはしないからね。そして僕らが昔、セントラル・パークの池《ザ・レイク》で餌《えさ》をやっていたかわいらしく、性格の良いニワトリや鵞鳥《がちょう》たち。でもそのときはまだ十歳だったから、なんてまた言わないでくれよ。僕が言わんとしていることは、君の年齢とは関係のないことなんだ。十歳だろうが二十歳だろうが、そんなことを言えば十歳だろうが八十歳だろうが、大した変化はない。今でもなお君は、たった二、三の事柄を口にしたり行なったりした――少なくともそのように伝えられている――イエスを全的に愛することができずにいる。そのことは自分でもわかっているはずだ。君には生来、テーブルをひっくり返してまわるような神の子を愛することも理解することもできない。そして柔らかく無力な復活祭のひよこなんかより、神にとっては人間の方が、それがたとえどんな人間であれ――たとえタッパー教授のようなやつであれ――価値があると公言するような神の子を、君は生来愛することも理解することもできないんだ」

フラニーは今ではズーイの声のする方にしっかり顔を向けていた。身体《からだ》をまっすぐにして座り、片手にクリネックスを丸めたものを握りしめていた。膝《ひざ》の上にはもうブルームバーグはいなかった。「あなたにはきっとそれができるんでしょうね」と彼女は金切り声を出して言った。

「僕がそれをできるかできないかというのは、当面の問題ではない。しかしもし知りたければ答えるけれど、ああ、僕にはできる。そういう話を今ここでしようとは思わないが、意識的であるにせよないにせよ、少なくとも僕はイエスをアッシジの聖フランチェスコみたいな『愛すべき』人物に変えてしまおうと試みたことは一度としてない。実を言えばキリスト教世界の九十八パーセントまでが、そうしようと常に言い立ててきたんだけどね。でも何もそれは僕が偉いからじゃない。僕はたまたまアッシジの聖フランチェスコみたいなタイプには惹《ひ》かれないんだ。でも君は惹かれる。僕に言わせれば、それがまさに、君が今回そのささやかな神経の破綻《はたん》を起こした理由だ。またとりわけ、この家の中でそいつが起こったことの理由だ。ここは君にとってまさに注文通りの場所なんだ。サービスは抜群だし、幽霊が必要とあらば、熱々のものから冷たいやつまで、蛇口をひねればすぐにお出ましになる。こんなおあつらえ向きの場所が他にあるかい？　君は好きなだけお祈りを唱え、イエスやら聖フランチェスコやらシーモアやらハイジのおじいさんなんかを、そっくり一緒くたにしてしまえる」。ズーイはそこでほんの僅か話しやめた。「君にはそれがわからないのか？　自分がどれくらいぼやけた目で、どれくらい甘っちょろく世界を見ているかということがわからないのか？　まったくもう、君という人間にはもともと救いがたい部分なんてひとかけらもないはずなんだ。それなのに君は実に救いがたい考え方にどっぷりはまり込んでしまっている。君のお祈りのやり方からして宗教として救いがたいものだし、自分でわかっているかどうか知らないが、君が抱えているその神経破綻もどうしようもなく救いがたい。僕はこれまで、本当に神経をやられた人たちを何人か見てきた。でも彼らはいちいち好みの場所を選んで、そこで神経を破綻させたりは――」

「もうよして、ズーイ！　もうよして！」とフラニーはしくしく泣きながら言った。

「もうすぐ終わるよ。あと少しで。それはそうと、どうして君は神経がやられちゃったんだい？　つまりさ、そんなに力いっぱい崩れちまうことができるんなら、どうして同じエネルギーを使って自らをしっかり保っていることができないんだ？　わかったよ、僕は筋の通らないことを言っている。僕は今のところぜんぜん筋が通っていないんだ。ああ神様、だけどどうして君は、僕が生まれつきろくに持ち合わせていない忍耐心を、そんな風に試したりするんだ！　君は大学のキャンパスを見渡して、世界を、政治を見渡して、夏期公演を一シーズンだけ見渡して、出来の悪い大学生たちの会話を耳にして、あっさりこう思いこんでしまうんだ。すべてはエゴだ、エゴだ、エゴだ。そしてまともな知性を備えた女の子がやるべきことは、そのへんにごろんと寝ころんで、頭を剃《そ》って、イエスの祈りを唱え、自分をほのぼのと幸福な気分にさせてくれるような、お手軽神秘体験を神様に求めることなんだと」

フラニーは悲鳴を上げた。「お願いだから、もうやめてくれない！」

「すぐに終わるって。すぐに終わる。君はエゴについて語り続けている。しかしね、何がエゴであって何がエゴでないか、それを決めるなんて、まったくの話、キリストその人でもなきゃできないことなんだよ。なあ、ここは神の宇宙であって、君の宇宙じゃないんだよ。そして何がエゴで何がエゴでないかを最終的に決めるのは、神様なんだよ。君の大好きなエピクテトスはどうだい？　あるいは君の大好きなエミリー・ディッキンソンはどうだい？　君はエミリーが詩作の衝動を感じるたびに、そこに座り込んで、そのいやらしいエゴに満ちた衝動がどこかに去ってしまうまでお祈りを唱えていたらよかったのに、と思うのか？　いや、もちろんそんなことを思うわけがない！　しかし君は、お友だちのタッパー教授のエゴなんてどこかに消えてしまえばいいと思っている。それは違うものなんだと思っている。たしかにまあ、そのとおりかもしれない。違うものなのかもしれないよ。しかしエゴについて十把一絡げにわめき立てるのはやめてもらいたい。僕の意見を僭越《せんえつ》ながら言わせてもらえるなら、この世界のいやらしさの半分くらいは、自分たちの本物のエゴを用いていない人々によって生み出されているんだ。そのタッパー教授からしてそうだ。君が彼について話すことを聞いている限りでは、彼が使っているのは、彼のエゴだと君が考えているものは、実はエゴなんかではぜんぜんないという方に、僕はほとんどすべてを賭《か》けてもいい。それは違ったものなんだ。もっとずっと汚らしく、浅いところにある代物《しろもの》だ。なあ、君だってずいぶん長く学校に通っている。それくらいのことはわかりそうじゃないか。出来の悪い学校の教師を――それを言えば大学教授だって同じだけれど――ちょっとひっかいてみろよ。半分くらいの場合、下から出てくるのは居場所を間違えた一級の自動車修理工か、あるいは石工だ。たとえばルサージがそうだ。僕の友人であり、雇い主であり、マディソン・アヴェニューの精華とも言うべき男だ。君は彼のエゴが、彼をテレビ業界に運び込んだと思うかい？　まさかまさか。彼にはエゴなんかもうありゃしない。もともとそんなものがあったとしてだけどね。彼はそれをばらばらにして趣味に変えてしまったんだ。僕の知っているだけでも、彼は三つの趣味を持っている。そしてその三つとも、彼の家の一万ドルもかけた地下室のでかい工作室に揃《そろ》えられた電動工具やら万力やら、その他あれこれの道具類と関係している。自分のエゴを、本物のエゴをしっかり使っている人間には、趣味のために割く時間なんてありゃしないよ」。そこでズーイは突然話しやめた。彼は相変わらず仰《あおむ》向けになり、目を閉じ、胸の上で、シャツのフロントのところで、両手の指をとてもしっかりと組み合わせていた。しかし今では彼は意図的に自分を痛めつけるように、表情を苦痛に満ちたものに変えていた。それはどうやら自己批判のひとつの表現形態であるようだった。「趣味か」と彼は言った。「いったいなんで、趣味の話なんかになっちまったんだろう?」。

彼はしばらくそこにひっそり横になっていた。

フラニーの啜《すす》り泣きが——それはサテンのクッションによって音をいくぶん消されていたが——部屋に聞こえる唯一《ゆいいつ》の音だった。ブルームバーグは今ではピアノの下の日だまりに座って顔を洗っていた。そこには絵画の情景を思わせるものがあった。

「いつも悪役をつとめている」とズーイは言った。いささか素っ気なさすぎる口調で。「何を言ったところで、結局僕が君のイエスの祈りをくさしているみたいに聞こえちまう。でも僕にはそんなつもりはないんだよ、実に、まったくの話さ。僕が異議を申し立てているのは、君がそれを用いる理由と方法と場所に関してだけだ。僕だって君がそのお祈りを、何であれ君の人生の責務の代用品として、あるいはごく日常的な責務の代用品として用いているんじゃないと確信できたら、嬉《うれ》しいんだ。というか、そんな嬉しいことはないと思うよ。でもそれにも増して参っちまうのは、君がイエスを理解していないにもかかわらず、どうしてイエスに対して祈れるかということだ。僕にはそこがわからない。なんといっても、そいつがまったくわからないんだ。そしてぜんぜん承服できないのは、君が僕とほとんど同じ量の宗教哲学を無理やり詰め込まれたにもかかわらず――僕がぜんぜん承服できないのは、君が彼を理解しようと努めないことだ。もし君がたとえばあの巡礼のように、どこまでも単純素朴な人間であったなら、あるいはとことん切羽詰まった人間であったなら、まだ言い訳のしようはある。しかしな、君は単純素朴な人間でもないし、そこまでとことん切羽詰まってもいない」。そこにいたって、床に横になってから初めて、ズーイは目を閉じたまま唇をぎゅっと結んだ――それは（挿入句的に事実を述べるなら）母親の常日頃の仕草と実にそっくりだった。「なんてったってね、フラニー」と彼は言った。「もしおまえがイエスの祈りを唱えるなら、おまえは少なくともそれをイエスに向かって唱えなくちゃいけないんだよ。聖フランチェスコやシーモアやハイジのおじいさんをひとまとめにしたものに向かってじゃなくてね。イエスを頭に描き、彼だけを思い浮かべて、お祈りは口にされなくちゃならない。そして彼の姿は、おまえがこうあってほしいと思う彼の姿じゃなく、ありのままのものじゃなくちゃならない。おまえは事実ってものにまるで直面していないよ。そういう事実に目を向けないという間違った姿勢がそもそも、今回の心の乱れをおまえにもたらしているものなんだよ。そしてそうしている限り、おまえはそこから抜け出せないんじゃないかね」

ズーイは突然、今ではすっかり湿った顔に両手をあてた。一瞬の間そのままの姿勢でいたが、また手を離した。そして再び胸の上で両手を合わせた。そこで自前の声が再び戻ってきた。ほとんど完全に平常の会話の声音が。「僕を当惑させるのは、僕がとことん当惑させられるのは、どうして人がみんな——子供だったり、天使だったり、あるいはその巡礼みたいに幸運な素朴人間だったりすれば別だけれど——新約聖書に描かれているままの姿や声を持つイエスではなく、そこからほんの少しなりともずれている彼に向かって、祈りを唱えようなんて気持ちになれるのかということだ。だってなんてったって、イエスは聖書の中でもっとも知性的な人物であり、それに尽きるんだ。簡単な話じゃないか！　彼はどこの誰よりも遥かに抜きんでている。誰よりもだ。新約聖書にも旧約聖書にも、たくさんの人物が登場する。賢人やら、預言者やら、使徒やら、お気に入りの息子たちやら、ソロモンやら、イザヤやら、ダヴィデやら、パウロやら――でもさ、ものごとの成り立ちをイエスほど正しく把握していたやつが他にいるだろうか？　誰もいない。モーセも駄目だ。モーセの名前を出したりしないでくれよ。彼は好人物だし、神とも美しい関係を保っていた。たしかにね。でもさ、そこがまさにポイントなんだよ。彼は関係を保ってなくちゃならなかった。一方イエスにはわかっていたんだ。どうやったところで神からは離れようもないってことが」。ズーイはそこで軽くぽんと手を叩《たた》いた。ただ一度だけ、それほど大きな音ではなく、またおそらくは自ら意図してではなく。そしてなんだか、まだその音がほとんど発せられないうちに、両手は再び胸の上で重ね合わせられたようだった。「ああ、なんて見事な人だろう！」と彼は言った。「たとえば他のいったい誰が、ピラトに説明を求められたとき、じっと口を閉ざしていられるだろう？　ソロモンは駄目だ。ソロモンの名前なんて出さないでくれよ。ソロモンならそういうとき、きっと含蓄のある言葉をいくつか口にするだろう。更に言えば、ソクラテスだって黙ってはいられないんじゃないかな。クリトン（ソクラテスの友人）だか誰かが彼をうまく脇《わき》に連れ出して、その限られた時間に、後世に残すための選び抜かれた言葉をきっと二、三引き出したことだろう。しかし何にも増して、何よりも大事なのは、聖書の中で、イエスを別にして、我々が天なる王国を携えて生きていることを知っていた――真に知っていた――

人物がどこにいるだろうということだ。我々はそれを内側に携えているんだが、我々はあまりに愚かでセンチメンタルで想像力を欠き、そこに目が行かない。その手のことを知るためには、君は神の子供でなくてはならない。どうしてそのことを考えないんだ？　冗談で言ってるんじゃないぜ、フラニー。僕はとても真剣に言っているんだ。もし君がイエスをありのままの姿で見ないなら、イエスの祈りの全体のポイントを君は見失っている。もし君がイエスを理解しないなら、君はその祈りをも理解することができない。それはまったく祈りの意味を持たない。君が手にするのはただ体裁を整えられた空念仏に過ぎない。イエスはどこまでも重要な使命に、そう、まさに精通している。聖フランチェスコみたいに、聖歌をいくつかちょこちょこしらえたり、小鳥たちに説教をしたり、その他フラニー・グラスの胸を打つような心優しいことをあれこれやってる暇はないんだ。これは冗談抜きで言ってるんだぜ、まったくの話。どうして君はそこに目が行かないんだ？　もし神が新約聖書において、聖フランチェスコのような一貫して好感を持てるパーソナリティーを役割として求めていたとしたら、神はきっと彼を選んでいただろう。そいつは間違いないところだ。しかしその代わりに神が選んだのは、最も優れて聡明《そうめい》で、最も慈愛に満ち、かつ感傷性から最も遠くにあり、模倣性から最もかけ離れた傑物だった。これほどの適役を神はおそらく他に見《み》出《いだ》すことはできなかった。もしそのことを君が見落としているなら、僕は断言するが、君はイエスの祈りの全体のポイントを見落としていることになる。イエスの祈りはひとつの目的を、ただひとつの目的だけを持っている。それは、その祈りを唱える人にキリストとの一体意識を賦与《ふよ》することだ。どこかにこぢんまりとした、神聖っぽい会合場所が設けられていて、そこにいかにも神々《こうごう》しい見かけの偉そうな人物が控えていて、君を両腕に抱き、君を責務から解放し、面倒くさい世界の苦悩やらタッパー教授なんかをすっきり追い払い、もう二度と戻ってこれないようにしてくれる、みたいなことじゃないんだ。そしてまったくの話、もし君が知性を具《そな》えているのに――実際君は知性をしっかり具えているわけだが――それにあえて目を向けないのであれば、君はとりもなおさずお祈りを誤って用いていることになる。お人形やら聖人たちで満ちて、タッパー教授なんて一人もいない世界を求めていることになる」。彼はそこで突然身を起こし、勢いよく前に乗り出した。ほとんど柔軟体操でもしているみたいに敏速に。そしてフラニーを見た。彼のシャツは、常套《じょうとう》的な表現を用いれば、そのまま搾《しぼ》れるくらいぐしょぐしょに濡《ぬ》れていた。「もしイエスがその祈りの用途として意図していたのが――」

ズーイはそこで話しやめ、カウチの上でがっくり屈服したように顔を伏せているフラニーの姿を見つめた。そしてたぶん初めて、彼女の内から洩《も》れ出てきた、部分的にしか押し殺されていない苦悩の声を耳にした。その瞬間彼は蒼白《そうはく》になった。フラニーの状態を考えて心配のあまりそうなったのだ。そしてまたたぶん、部屋がいつもながらのむかむかするしくじりの匂《にお》いで急に満たされたことも、彼が蒼白になった理由だった。でも蒼白とはいっても、彼のそれは奇妙なほど色の引いた白だった。罪悪感や惨《みじ》めな悔恨を示す緑色や黄色はそこに混じっていない。それは道理も何もなくただ動物を愛する――動物ならとにかくどんな動物でもいい――小さな男の子が浮かべることになる血の気の引いた顔色だった。その顔から血の気が引いたのは、ウサギちゃんを愛するお気に入りの妹が、彼が誕生日プレゼントとして今しがた贈った箱の蓋《ふた》を開け、中を覗《のぞ》いたときの表情を目にしたせいだ。箱の中にあるのは捕らえたばかりの生きのいい若いコブラ、その首には赤いリボンが不器用に巻かれている。

　彼はまるまる一分間じっとフラニーを見つめていた。それから立ち上がった。珍しくふらりと微《かす》かによろけるようにして。そしてひどくゆっくりとした足取りで、部屋の反対側にある母親の書き物テーブルの方に歩いて行った。しかしそこに着いたときの様子からして、自分がなぜそこに行ったのか、彼にはまるでわかっていないようだった。そのテーブルの上にあるのは、彼には見覚えのないものばかりだ。Oの字の内側を彼が塗りつぶした吸い取り紙、葉巻の短い燃えさしが置かれた灰皿、それから彼は振り返ってまたフラニーを見た。彼女の啜り泣きの声はさっきよりいくらか収まっていた。あるいは収まっているように思えた。しかし顔を伏せ、うちひしがれた、辛《つら》そうな姿勢は前と同じだった。一方の腕は折れ曲がるように身体《からだ》の下に挟み込まれていた。苦痛を忍んでいるとまではいかずとも、相当居心地の悪そうな体勢だ。ズーイは妹から目を背けたが、それからもう一度思い切って視線を彼女に戻した。彼は額の汗を手のひらで拭《ぬぐ》い、湿りを取るためにその手をヒップ・ポケットに突っ込んだ。そして言った。「悪かったよ、フラニー。僕がとにかくいけなかった」。しかしこの正式な謝罪は、フラニーの啜り泣きを再稼働《かどう》させ、増幅しただけだった。彼はそのあと、十五秒から二十秒のあいだ妹を見ていた。それから部屋を出て廊下に立ち、ドアを閉めた。

居間を一歩外に出ると、塗り立てのペンキの匂いがずいぶん強くなっていた。廊下自体はまだ塗装されていなかったが、硬木の床には新聞紙が隙間《すきま》なく敷かれていた。そしてズーイの最初の一歩——それは迷いに満ちた、ほとんど心ここにあらずという一歩だった——は、そのスポーツ面のスタン・ミュージアルの写真にゴム底の跡をくっきりと残した。ミュージアルが十四インチの川鱒《かわます》を抱えている写真だ。五歩か六歩進んだところで、ズーイは母親と危うくぶつかりそうになった。彼女は自室から出てきたところだった。「おまえはもう出かけたと思っていたよ！」と彼女は言った。手には洗濯され折り畳まれた二枚のコットンのベッドスプレッドが抱えられていた。「玄関のドアが閉まる音がたしか――」と言いかけたが、彼女はズーイの様子を見て言葉を飲んだ。「それはいったい何？　汗なのかい？」と彼女は尋ねた。そして答えを待つことなく、ズーイの腕を掴《つか》み、彼をペンキ塗装の終ったばかりの自分の部屋からこぼれる明るい陽光の中に連れていった――というか、まるで箒《ほうき》でも手に取るみたいに、ほとんどかっさらっていった。「やっぱり汗だ」。たとえズーイがその毛穴から原油を出していたとしても、彼女はそこまでの驚きと譴責《けんせき》を声に込めることはなかっただろう。「いったいどういうこと？　さっきお風呂に入ったばかりじゃないの。いったい何があったんだい？」

「時間がないんだよ、母さん。頼むよ。どいてくれよ」とズーイは言った。「フィラデルフィア風高脚箪笥《ハイボーイ》が廊下に運び出され、それがミセス・グラスの身体と一緒になって、ズーイの行く手を塞《ふさ》いでいた。「誰がいったいこの怪物をここまで運んだんだよ？」と彼はそれを目にして言った。

「なんでそんなに汗をかいているんだい？」とミセス・グラスはまずシャツを検分し、それから息子の顔を見て質問した。「フラニーとは話をした？　いったいどこにいたんだい？　居間かい？」

「そう、そのとおり、居間にいたよ。ところでもし僕が母さんだったら、ひとまず居間に様子を見に行くけどね。あいつは泣いているよ。とにかくさっきまでは泣いていたよ」。彼は母親の肩をとんとんと叩いた。「だからさ、頼むよ。僕は本当にもう行かなく――」

「あの子が泣いているって？　また？　どうして？　何があったんだい？」

「そんなの知らないよ。ああ、もう――僕があいつのプーの絵本をまとめて隠したのさ。頼むよ、ベッシー、道を空けてくれよ。ねえ、僕は急いでいるんだから」

ミセス・グラスはまだじっと彼を睨《にら》んでいたが、それでも道を空けた。それからほとんど間を置かず、居間へと向かった。急いでいたせいで、肩越しに「シャツをちゃんと替えていくんだよ！」と呼びかけるのがやっとだった。

もしズーイにそれが聞こえていたとしても、そんな素振りを彼はまったく見せなかった。廊下の突き当たりまで行って、自分の部屋に入った（それは彼がかつて双子と共有し、一九五五年の現在は一人で使っている部屋だ）。しかし部屋にはものの二分も留まらなかった。そこから出てきたとき、彼は前と同じ汗に濡れたシャツを着ていた。しかしながら、彼の外見にはささやかな、しかしかなりはっきりとした変化が見られた。彼は葉巻をくわえ、それに火をつけていた。そしてなぜかはわからないが、白いハンカチを広げて頭の上にかぶせていた。たぶん雨だか、雹《ひょう》だか、硫黄だかをよけるためのものなのだろう。

彼はまっすぐ廊下を進み、年長の二人の兄が共有していた部屋に入った。シーモアとバディーの古い部屋にズーイが——紋切り型の芝居がかった表現を用いれば——「足跡をしるした」のはほとんど七年ぶりのことだった。二年ほど前にどこかに紛れ込むか、あるいは「盗まれる」かしたテニス・ラケットのプレスを求めてアパートメント中を隈《くま》無く捜索したという、ごくささやかな出来事を別にすればだが。

彼はできるだけしっかりとそのドアを閉めた。彼がそこで浮かべた表情には、かけるべき鍵《かぎ》が内側の鍵穴にささっていないことに対する遺憾の念が示されていた。いったん中に入ってしまうと、彼は部屋そのものにはろくに目もくれなかった。かわりにくるりと振り向いて、一枚の合板としっかり向き合った。かつては純白であったそのボードは、ドアの内側に容赦なく、断固と釘《くぎ》で打ち付けられていた。ずいぶん巨大な代物《しろもの》で、縦横《たてよこ》はドアとほとんど同じくらいだ。その純白さや、滑らかさや、広がりが、かつては墨汁や活字体を求めて、哀切に満ちた声を上げていたなどということを信じていただけるだろうか。もし本当にそうであったとして、その求めは無駄には終わらなかった——疑いの余地なく。そのボードの目に見える表面は、なにしろ寸分の余地もなく装飾を施されていた。世界の様々な文学作品からの引用が記された、ゴージャスと言えなくもない見かけの四本の縦柱《コラム》によってその表面を埋め尽くされていた。字は小さかったが、真っ黒で、いかにも情熱がこもっていて読みやすかった。ところどころ少々気取った書体は見受けられたものの、滲《にじ》んだ箇所もなく、消された部分もなかった。その見事な職人芸はボードのいちばん下部、戸口の敷居に接するあたりになっても、みじんも手抜きがなかった。二人の書き手は、どうやらかわりばんこに腹ばいになって書き込みをしたらしい。引用元や著者を、何らかのカテゴリーやグループごとにまとめようというような試みはまったくなされていなかった。だからてっぺんからいちばん下まで、コラムからコラムへと引用を読み進んでいくのは、洪水にあった地域に設置された緊急避難所を通り抜けていくのに、どことなく似ていた。そこではたとえばパスカルとエミリー・ディッキンソンが（下世話な意味抜きで）同じベッドに入れられ、またなんたることか、ボードレールとトマス・ア・ケンピス（十五世紀のドイツの宗教思想家）の歯ブラシが隣り合わせに並んでかけられていた。

ズーイは近くに立ち、左側のコラムのてっぺんから始めて、下の方に向けてそれを読んでいった。その表情から見ると、あるいは表情の無さから見ると彼は、鉄道駅でドクター・ショールの足パッドの看板の宣伝文を読んで時間を潰《つぶ》している人のように見えたかもしれない。

人は仕事をする権利を持っている。しかしあくまで仕事そのものに対する権利のみである。仕事の成果を求める権利はない。成果を求める欲望が、仕事の動機であってはならない。またそこに怠惰の入り込む余地があってはならない。

至上の主に心を定めてすべての行為をおこなわなくてはならない。成果にしがみつく心を捨てなくてはならない。成功に対しても失敗に対しても等しく平常心を失ってはならない（この部分に筆記者の一人の手で下線が引かれている）。なぜならヨーガの意味するところは、この平常心であるからだ。

結果を案じつつなされた仕事は、そのような心配なしに、自己放棄の静けさの中でなされた仕事よりも遥《はる》かに劣る。ブラフマンの知に避難場所を求めよ。結果を出すために利己的に仕事をなすものは惨めだ。

――「バガヴァッド・ギーター」

それは自らの生起を愛した。

――マルクス・アウレリウス

かたつぶりそろそろ登れ富士の山

――一茶

神々に関して言えば、人々の中には神性の存在そのものを否定するものがいる。また神は存在するものの、何ごとに対しても活力と関心を欠き、一切の先見性を持たないと言うものがいる。三番目のグループは神は存在し先見性は持つものの、その対象は天上に在るものごと、偉大なるものごとに限られ、地上に在るものには適用されないと言う。第四のグループは、地上に在るものも天上に在るものと同様に認めるものの、それはあくまで概念に留まり、個々の人間に関してはあてはまらない。第五のグループは――そこにはオデュセウスやソクラテスが含まれるのだが――このように叫ぶ人々だ。

「我の動きにして、汝《なんじ》の知らざることなし！」と。

——エピクテトス

面識のない一人の男と一人の女が、東部に戻る列車の車中で会話を始めたとき、愛の関心と頂点が訪れることになる。

「それで」とミセス・クルートが言った。つまり彼女がその女性である。「グランド・キャニオンのことはどう思いました？」

同伴する男は返事をする。「なかなかの洞窟《どうくつ》ですね」

「なんていう面白い表現かしら！」とミセス・クルートは言った。「さあ、今度は私のために何か弾いてくださいな」

——リング・ラードナー「短篇小説の書き方」

神は心を導く。理念によってではなく、痛みと矛盾とによって。

——ド・コサード

「パパ！」とキティーは叫んだ。そして彼の口を両手で塞いだ。

「ああ、そんなことはしないよ……」と彼は言った。「私はとてもとても嬉《うれ》しい……ああ、私はなんて馬鹿《ばか》なのだろう……」

彼はキティーを強く抱きしめ、その顔や手にキスし、また顔にキスした。そして彼女の頭上で十字を切る仕草をした。

キティーがどれほどゆっくり、どれほど優しく、彼のたくましい手にキスするかを目にして、この人物に対する新たな愛の感情がレヴィンを包んだ。そのときまで、彼は男のことをほとんど何も知らなかったのだ。

——「アンナ・カレーニナ」

「師よ、私たちは寺院で像や絵を崇《あが》めている人々に、それが間違ったおこないであることを教えなくてはなりません」

ラーマクリシュナ「それがあなたがた、カルカッタの人々のやり方だ。何かというと教え諭したがる。あなたがた自身が乞食《こじき》であるのに、人に数百万を与えようとする……自分の像や絵が崇められていることを、神は知らないとでも、あなたがたは思っているのか？　仮にその崇拝者が過《あやま》ちを犯していたとして、その心根まで神に通じないと、あなたは考えるのか？」

——「ラーマクリシュナの教え」

「僕らの仲間に入らないか?」。つい最近のことだが、真夜中過ぎのコーヒーショップで一人でいるときに、たまたま出会ったある知り合いに声をかけられた。店にはもうほとんど客はいなかった。「いや、遠慮するよ」と私は言った。

——カフカ

人々と共にいることの幸福。

——カフカ

聖フランシスコ・サレジオの祈り「然《しか》り、父よ！　然り、いつも変わることなく、然り！」

瑞巌《ずいがん》は毎日自らに向かって「師よ」と呼びかけた。
それから自らに向かって「なんでございましょう」と答えた。
そして彼は付け加えた。「平静であれ」
再び彼は自らに向かって答えた。「承知いたしました」

「そしてその上で」と彼は続けた。「人に欺《あざむ》かれてはならない」
「はい、承知いたしました。たしかに」と彼は答えた。

――無門関

合板に書かれた字はなにしろ細かかったので、ここまで読んでもコラムの上から五分の一くらいまでしか達していなかった。そしてあと五分間読み続けても、ズーイはまだ同じ縦の列を読んでいただろうし、腰を屈《かが》めて読むところまでも辿《たど》り着けなかっただろう。でも彼にはそこまでするつもりはなかった。彼はそれほど唐突にではなく後ろを振り返り、兄のシーモアの机まで歩いていって、背もたれのまっすぐな小さな椅子《いす》を引きだし、そこに座った。まるでそんなことは毎日のようにやっているとでも言わんばかりに。彼は机の右手の端に葉巻を、火のついた方を外に向けて置いた。そして両肘《りょうひじ》をついて前屈みになり、両手で顔を覆《おお》った。

彼の背後の左手には、カーテンのかかった二つの窓があった。それらは中庭に面して、ブラインドが半ば下ろされている。風光明媚《めいび》とは言い難いコンクリートとレンガでできたその渓谷を、一日中時刻を問わず、掃除女やら配達の少年なんかが灰色の影のように横切っていく。部屋そのものはアパートメントの「サード・マスター・ベッドルーム（第三主寝室）」と呼ばれそうなタイプのものだ。そしてマンハッタンのアパートメントの、それなりに伝統的な基準からしても、日当たりが悪く、広くもなかった。グラス家兄弟姉妹の二人の年長の兄であるシーモアとバディーは、一九二九年にその部屋に居を構えた。当時二人はそれぞれ十二歳と十歳だった。そしてその部屋をあとにしたときには二十三歳と二十一歳になっていた。家具の大部分は楓《かえで》材の「セット」ものだ。二つの寝台兼用長椅子、ナイトテーブルがひとつ、子供用とおぼしき二つの机は小さくて膝《ひざ》がつっかえる。鏡付きの丈の高いタンスが二つ。二脚の小型安楽椅子。ばらばらに床に置かれた三枚の、国内産の「オリエンタル」敷物《ラグ》は救いがたく擦り切れている。誇張をほとんどまじえることなく、あとはすべて書物だった。いつか手に取られるはずの本。永久に置き去りにされた本。どう扱えばいいのかわからない本。とにかく本、また本だ。背の高い本棚が部屋の三面の壁に巡らされ、その許容範囲いっぱいに、またそれを超えて本が詰め込まれていた。溢《あふ》れ出た本は床に積み上げられている。まさに足の踏み場もなく、歩き回るなど話のほかだ。カクテル・パーティーなんかで気の利《き》いたことを言う才に恵まれた人が、何も事情を知らずにこの部屋を目にしたら、「この部屋のかつての住人は、駆け出し奮闘努力中の二人の十二歳の弁護士か、あるいは学術研究者だったようだね」とのたまったかもしれない。そして実際、今も残されている書物を腰を据えて仔細《しさい》に検分でもしない限り、このおおむね子供向きの寸法を持つ部屋の中で、かっての住人たちが二人とも選挙権を持つ年齢（訳注　当時は二十一歳）に達したことを示すような徴《しるし》はほとんど——ぜんぜんとまでは言わないが——見つからないはずだ。しかし実際その年齢に達したのだ。バディーの机の上には電話——さっきから問題になっている個人電話だ——が置かれている。どちらの机も煙草《たばこ》の焼け焦《こ》げだらけだ。しかしより明確な成人の徴は——たとえば飾りボタンやカフス・ボタンの入った箱、壁の写真、洋服ダンスの上にだんだん溜《た》まっていく意味ありげな何やかやは——彼らが両親の家を出たときに持ち去られた。二人の青年は一九四〇年に「枝分かれ」して、よそに共同でアパートメントを借りたのだ。

両手で顔を覆い、頭にかぶったハンカチを額に垂れ下がらせた格好で、ズーイはシーモアの古い机の前に、たっぷり二十分ばかり座り込んでいた。ほとんど動きはなかったが、眠っているわけではなかった。それからおおむねひとつの動作で、彼は顔を支えていた両手を外し、葉巻を取り上げて口にくわえ、左のいちばん下の抽斗《ひきだし》を開け、両手を使って七インチか八インチの厚さを持つ、シャツの厚紙のように見えるもの——実際にそうだったのだが——を取り出した。彼はその束を机の上に置き、それを一度に二、三枚ずつめくっていった。彼の手はただ一度だけ止まったが、それも本当に短い間のことだった。

彼が手を止めた厚紙は、一九三八年二月に書かれたものだった。青鉛筆で記されたその字は、長男シーモアのものだ。


僕の二十一歳の誕生日。プレゼント、プレゼント、プレゼント。ズーイと赤ん坊《ベイビー》はいつものようにロワー・ブロードウェイで買い物をした。二人がくれたものはたっぷりの「かゆみ粉」（訳注　襟首などに入れて人を痒がらせるいたずら用のおもちゃ）と、三個の悪臭爆弾が入った箱。僕はなるべく早い機会をとらえて、それをコロンビア大学のエレベーターか「どこか人がたくさん集まるところ」で使わなくてはならない。

僕を楽しませるために今夜、いくつかの演芸がおこなわれた。レスとベッシーが素敵なソフトシュー・ダンス（訳注　金具をつけない靴で踊るタップダンス。しばしば砂を撒いた床の上でおこなう）をやってくれた。ブーブーがロビーに置かれた壺《つぼ》から砂をくすねてきてくれた。二人の演技のあと、Bとブーブーがその物真似《ものまね》をした。かなり愉快な代物。レスは涙が出るくらい笑った。ベイビーは「アブドゥル・アブルブル・アミール」を歌った。Zはレスに教わったウィル・マホーニー（訳注　一八九四年生まれの有名なボードビリアン）が退出するときの真似をやった。そして本棚に思い切り衝突し、烈火のごとく怒った。双子はBと僕がかつてやっていたバック＆バブルズ（訳注　一九三〇年代に活躍した黒人二人組のボードビリアン）の物真似をやった。僕らと違ってこちらは完《かん》璧《ぺき》な出来だった。素晴らしい。その最中にドアマンから館内電話がかかってきて、誰かがそこで今ダンスしておられませんかと尋ねた。四階に住むセリグマンさんから――

ズーイはそこで読むのをやめた。彼はその厚紙の束を机の上で、続けて二度とんとんとしっかり叩《たた》いて揃《そろ》えた。まるでトランプの札を揃えるみたいに。それからその束をいちばん下の抽斗に戻し、閉めた。

彼は再び頬杖《ほおづえ》をついて前屈みになり、両手で顔を覆った。今度は半時間近く、そのままそこにじっと座っていた。

再び彼が動いたときその身振りは、体につけられたマリオネットの糸が必要以上に激しく引っ張られたような印象を与えた。もうひとつの椅子に移るべく、再びぐいと糸を引かれたが、その前に葉巻を手にとるだけの時間はなんとか与えられたようだった。彼が移った先は電話の置かれているバディーの机の前だ。

新たな座席に腰を下ろして、彼がまず最初にやったのは、ズボンの中からシャツの裾《すそ》を引っ張り出すことだった。そしてシャツのボタンを全部外してしまった。まるで三歩足らずの移動によって、なぜか熱帯圏に足を踏み入れてしまったかのように。次に彼がやったのは、口にくわえていた葉巻を取ることだった。しかしそれはただ左手に移されただけだった。空いた右手で彼は頭の上に載せていたハンカチを取り、電話機の隣に置いた。そこには「これでよし」という確かな気配が見られた。それから彼はほとんどためらいもなく受話器を取り上げ、市内局番を回した。市内も市内、目と鼻の先だ。ダイアルを回し終えると彼は机の上のハンカチを手に取り、受話器の送話口にゆるりとかぶせ、かなり高く盛り上げた。そしてやや深く息を吸い込み、待った。葉巻の火は消えており、火をつけなおしてもよかったのだが、なぜかそうはしなかった。

それより一分半ほど前のことだが、フラニーははっきり震えの聞き取れる声で、「おいしくて温かいチキン・ブロス」のカップを持ってこようという母親の申し出を――その十五分間で四度目の申し出だった――断ったところだった。ミセス・グラスはその最後の提案を立ち上がって、というか、実を言えば半身《はんみ》居間を出て台所に向かいつつおこなった。その顔には厳格でありながらも楽天的な色が見受けられた。しかしフラニーの声にまたしても震えが混じり始めたことを知ると、そそくさと自分の椅子に戻って腰を下ろした。

ミセス・グラスの椅子は言うまでもなく、居間のフラニーのいる側にあり、またもっとも怠りなく目を光らせていられる場所にあった。その十五分ばかり前、フラニーが身を起こして櫛《くし》を探すところまで回復を遂げたときに、ミセス・グラスがやってきて、書き物テーブルから背もたれのまっすぐな椅子を運んできて、コーヒーテーブルにぴったりくっつけて置いたのだ。そこはフラニーの様子を観察するには最上の場所だったし、加えて観察者はそこから大理石のテーブルの上にある灰皿に簡単に手を伸ばすことができた。

再びそこに腰を下ろし、ミセス・グラスはため息をついた。この人はチキン・ブロスを断られると、それがいかなる状況であれ必ずため息をつく。しかし彼女はこれまでの長い歳月、言うなれば「子供たちの栄養」という運河を監視船で上り下りしてきたわけで、このため息はいかなる意味合いにおいても、真の敗北のしるしたり得なかった。彼女はほとんど間を置かずに言った。「ちゃんと実のあるものを口にしないことには、元気なんか戻ってこない。しつこいようだけど、それは本当だよ。おまえはここのところ、まったくの話――」

「ねえ、お母さん――お願いだから、やめて。もう二十回も頼んでいるでしょう。チキン・ブロスのことを口にするのはやめてって。その名前を耳にするだけでなんだか吐き気が――」、そこでフラニーは言葉を止め、耳を澄ませた。「あれはうちの電話かしら?」と彼女は言った。

ミセス・グラスは既に椅子から半分腰を浮かせていた。唇が微《かす》かに引き締められていた。電話のベルが鳴ると、それがいかなる場所にあるいかなる電話であれ、ミセス・グラスの唇は常に微かに引き締められる。「すぐに戻るからね」と彼女は言って部屋を出て行った。ちゃりんちゃりんという音がいつもよりはっきりと耳についた。まるで彼女のキモノのポケットにある、修理用の釘《くぎ》をまとめて入れた箱が壊れて、中身がばらけてしまったみたいに。

彼女が部屋を離れていたのは五分程度だった。戻ってきたとき、彼女の顔には独特の表情が浮かんでいた。姉のブーブーに言わせればそれは、二種類のものごとのどちらかひとつを意味する表情だった。ひとつは息子の一人と電話で話をしたばかりだということであり、もうひとつは世界中の人間の腸は、丸一週間の周期で、完璧な衛生的規則性をもって動くべく設定されているという報告を、最も確かな筋から今まさに受けとったということだ。「バディーから電話だよ」と彼女は部屋に入りながら告げた。長年の経験から、自分の声に喜びの気配がちらりとでも混じることのないよう、彼女は慎重に配慮していた。

　その知らせに対するフラニーの反応は、見る限りあまり気乗りのしないものだった。むしろ緊張を感じているように見えた。「どこから電話しているわけ？」

「そんなこと尋ねもしなかったよ。ずいぶんひどい鼻声みたいだったけどね」。ミセス・グラスは腰も下ろさなかった。彼女は腰を宙に浮かせていた。「さあ、急いでちょうだい、お嬢《ヤングレディー》さん。あの子はおまえと話したがっている」

「彼が自分でそう言ったわけ？」

「そうだよ、自分でそう言ったんだ。だから急いでちょうだい……しっかりスリッパを履いて」

　フラニーはピンクのシーツと淡いブルーのアフガン毛布から抜け出した。そして青白い顔、わざとぐずぐずした様子で、母親を見上げながらカウチの端に腰をかけていた。両足は爪先《つまさき》でスリッパを探していた。「それで、母さんはなんて言ったの？」と彼女は落ち着かない声で尋ねた。

「いいから電話に出てちょうだい。お願いよ、お嬢《ヤングレディー》さん」とミセス・グラスは答えをはぐらかすように答えた。「いいから、とにかく急いでちょうだい」

「きっと私は今にも死にそうだとか、そんなことを言ったんでしょう」とフラニーは言った。それに対する返事はなかった。彼女は手術後の回復期にある患者的な弱々しささこそ見せなかったが、多少の目眩《めまい》を感じるのではないかと不安がっている（あるいはそうなってくれることをむしろ期待している）様子で、いくぶん慎重にそろそろとカウチから立ち上がった。そしてスリッパに足をきちんと突っ込み、化粧着の紐《ひも》をほどき、また締め直しながら、コーヒーテーブルの後ろからのっそりと出てきた。一年かそこら前、彼女は兄のバディーに向けた手紙の、不当なまでに自己批判的なパラグラフの中で、自分の体型のことを「非の打ちどころなく米国的《アメリカニーズ》」と描写していた。若い娘の体型と、若い娘の歩き方に対してたまたま一家言を持つミセス・グラスはその姿を見ながら微笑《ほほえ》みを嚙《か》み殺し、今一度唇を僅《わず》かに引き締めた。しかしながらフラニーの姿が視界から消えた瞬間、彼女の関心はすかさずカウチに向かった。その顔つきからして、世界に不快なものは数々あれど彼女にとって、カウチに――それも上等のウール張りのカウチに――寝支度がこしらえられている以上に不快なことはあまりないことは明々白々だった。彼女はコーヒーテーブルとカウチとの間の通路に回り込むと、目につくすべてのクッションに対して、回復のための打擲《ちょうちゃく》を加えた。

フラニーは廊下に置かれた電話の前を知らん顔で通り過ぎた。どうやら彼女は両親の居室まで――そこには一家でいちばん人気を博している電話がある――時間をかけて歩くことにしたようだった。廊下を歩いて行く彼女の足取りにとくに変わったところはなかったが（だらだらもしていないし、せかせかもしていない）、それでいながら彼女は移動をしつつ、ずいぶん特殊な変身を遂げていた。彼女は一足ごとに目に見えて若返っていた。おそらくは長い廊下と、涙を流した余韻、それに加えて電話のベル、塗り立てのペンキの匂《にお》い、足下に敷かれた新聞紙――たぶんそれらすべてのものごとの総和が、新しいお人形の馬車と同様の効果を彼女に及ぼしたのだろう。いずれにせよ両親の居室に着く頃には、彼女の仕立ての良い、タイ・シルクの素敵な化粧着は――それはおそらく寄宿舎的基準ではシックさ妖艶さの象徴なのだろう――今では小さな子供のウールのバスローブに変えられてしまったようだった。

グラス夫妻の居室は塗り立ての壁のペンキのきつい匂いに満ちて、ひりひりするほどだった。家具は部屋の中央に寄せ集められ、キャンバスで覆《おお》われていた。ペンキのしみだらけの、臓器じみた見かけの古いキャンバスだ。ベッドも壁から離されて置かれていたが、それはミセス・グラスが用意したコットンのベッドスプレッドで覆われていた。電話機は今はミセス・グラスの枕《まくら》の上に置かれている。ミセス・グラスもどうやら廊下の子機よりは、よりプライバシーを保てるこちらの電話を好んだようだ。受話器は外されてそこに置かれ、フラニーの手に取られるのを待っていた。それはほとんど人間のように、存在の何らかの承認を仰いでいるもののように見えた。そこに近づくために、言うなれば受話器を救出するために、彼女は床に散らばったたくさんの新聞紙をかきわけ、空のペンキのバケツをよけて歩かなくてはならなかった。そこにたどり着いた彼女は、すぐに受話器は取らなかった。ベッドの、その隣に腰を下ろしてしばし受話器を眺め、それから目を逸《そ》らし、髪を後ろに撫《な》でつけた。ナイトテーブルは通常ベッドと並べて置かれているのだが、今はぴったりとそばに寄せられており、フラニーは立ち上がることなくそれに手を触れることができた。フラニーはテーブルに被《かぶ》せられた、とりわけむさくるしい見かけのキャンバスの下に手を入れ、あちこち手探りで探しまわり、ようやく探し物を見つけた。磁器のシガレット・ボックスと、銅のホルダーに入ったマッチ箱だ。彼女は煙草に火をつけ、電話を再び眺めた。長いあいだとても不安気に。亡《な》くなった兄のシーモア一人を除いて、電話で聞く彼女の兄たちの声はみんな、逞《たくま》しいとまでは言わずとも、過度に活気に溢《あふ》れているということを読者諸氏にいちおうお断りしておくべきだろう。このような状態で、兄たちの一人の声の響きを受話器から耳にすると思うだけで――その声が語る内容は言うに及ばず――フラニーが大いにひるんだとしても不思議はない。それでも彼女は落ち着かなげに煙草を吹かし、思い切って受話器を取り上げた。「ヘロー、バディー?」と彼女は言った。

「やあ、スイートハート。大丈夫かい？　元気にやってる？」

「元気よ。兄さんは？　ずいぶん風邪声みたいだけど」。それに対してすぐに返事がなかったので、彼女は続けた。「どうせベッシーが長々と事情を報告してくれたんでしょうね」

「まあ――それなりにね。してくれたような、してくれないような。いつものことさ。君は元気なのか、スイートハート？」

「私は大丈夫。でもあなたの声、なんだかずいぶん変よ。ひどい風邪をひいているのか、それとも回線の具合がすごく悪いのか。ところで今はどこにいるの？」

「僕は今どこにいるか？　僕は自分の持ち場にいるよ、フロプシー（訳注　ビアトリクス・ポターのお話に出てくる兎）。道路の奥にある小さなお化け屋敷に。それはどうでもいい。君の話が聞きたい」

　フラニーは落ち着かなげに脚を組んだ。「どんな話を聞きたいのか、よくわからない」と彼女は言った。「ベッシーがいったい何を話したのかにもよるでしょう」

　電話の向こうではとびっきり「バディー的」と言える間があった。それはいかにも年上らしいいくぶんゆとりのある間で、フラニーと電話の向こうにいる「物真似《ものまね》名人」とがまだ小さな子供だった頃、しばしば二人に忍耐を強いたものだった。「そうだね、彼女がいったい何を話したのか、正直言って僕にもよくわからないんだよ、スイートハート。あるポイントを越えると、電話でベッシーの話を聞き続けるのはいささかの苦痛を伴う。チーズバーガーばかり食べているという話は、聞かせてもらったよ。おわかりのように。それから言うまでもなく、巡礼の本の話もね。そのあとは僕はただ受話器を耳にあてているだけで、ろくすっぽ聞いていなかった。わかるだろう？」

「そう」とフラニーは言った。彼女は受話器を持っている方の手に煙草《たばこ》を移した。そして空いている方の手を、ナイトテーブルにかかったキャンバスの下にまた潜り込ませ、小さな陶器の灰皿を探り当て、それをベッドの上の自分の脇《わき》に置いた。「声がちょっと変よ」と彼女は言った。「風邪をひいてるとか、そういうこと？」

「僕はすこぶる好調だよ、スイートハート。ここに座って君と話していると、とてもいい気分になれる。君の声を耳にするのは大いなる喜びだ。言葉では表せないくらい」

フラニーはまた片手で髪を後ろに押しやった。彼女は何も言わなかった。

「フロプシー、ベッシーが言い忘れたかもしれないことを、君には何か思いつけないかな？　よかったら話してくれないか？」

フラニーは指先でベッドの上の彼女の脇にある小さな灰皿の位置を少しばかり変えた。「なんていうか、私は今日はちょっと、人の話を聞かされすぎた気分なの。正直な話」と彼女は言った。「ズーイに朝からずっと責めまくられていたものだから」

「ズーイ？　あいつは元気にしているかな？」

「元気かって？　ええ、元気よ。まさに絶好調よ。殺してやりたいくらいに。ほんとの話」

「殺してやりたいって、どうして？　なんであのズーイくんを殺したいなんて思うわけだろう？」

「なぜ？　ただ殺してやりたいから、それだけよ！　あいつはただただ破壊的なの。あれくらいとことん破壊的なやつに、生まれてから出会ったことがない！　なんであそこまでやらなくちゃならないのかしら！　あるときには彼はイエスの祈りに対して――私はたまたま今それに興味と関心を持っているんだけど――激しい全面攻撃をかけてくる。そしてそんなものに関心を持つやつは神経症のうすのろだみたいにこっちに思わせるんだけど、そのおよそ二分後には、イエス・キリストこそは自分が生まれてこの方、尊敬の念を抱くことのできた、この世界で唯一《ゆいいつ》の人間だみたいなことを吹きまくるわけ。それほどの美しい精神が他にあろうか、なんて具合に。とにかく一貫性がないのよ。なにしろそういうおぞましい円周を一人でぐるぐるまわっているんだから」

「その話が聞きたいな。そのおぞましい円周について話してくれないか」

ここでフラニーは苛立《いらだ》ちの吐息をつくという過《あやま》ちを犯した。彼女はその前に煙草の煙を吸い込んだばかりだったから、おかげで咳《せ》き込んでしまった。「それについて話すですって！　そんなことをしたら、まる一日かかっちゃうわ。まったくもう！」。彼女は喉《のど》に手をやり、間違ったところに入った息が落ち着くのを待った。「あいつはまさにモンスターよ」と彼女は言った。「ほんとよ！　まあ、本物のモンスターとは言えないかもしれないけど――わかんない。なにしろあらゆることに辛辣なんだから。宗教に対しても辛辣《しんらつ》。テレビジョンに対しても辛辣。あなたとシーモアに対しても辛辣。彼は言い続けているわ。あなたとシーモアが私たち二人を畸形人間《フリーク》にしてしまったんだって。私にはわからない。なにしろ話がこっちからあっちへと――」

「どこがフリークなんだろう？　彼がそう考えていることは僕も知っている。あるいは自分がそう考えていると彼が考えていることはね。でもそれがどうしてなのか、説明はされた？　だいたいフリークの定義とはどういうものなんだい？　あいつはそれについて何か言ったのかい、スイートハート？」

まさにここでフラニーは、その質問の素朴さにいかにも失望したように、手で自分のおでこをぴしゃりと叩《たた》いた。たぶんこの五年か六年、彼女はそんなことを一度もやったことがなかったはずだ。昔は、たとえばレキシントン・アヴェニューのバスに乗ってうちに帰る途中、映画館にマフラーを置き忘れてきたことに気づいたときなんかには、そういうこともしたかもしれないが。「あいつがどう定義したかですって！」と彼女は言った。「あいつはね、何事によらず四十くらいの定義を持っているのよ！私がいくぶん取り乱しているように聞こえるとしたら、それはそのせいよ。あるときには彼は――たとえば昨日の夜なんかに――私たちがフリークになったのは、ただ一式の基準のもとに育てられたせいだって言う。そしてその十分あとには、自分がフリークになったのは、誰かと会って一杯やりたいという気持ちにどうしてもなれないからだって言い出すの。ただ一度だけ――」

「何にどうしてもなれないんだって？」

「誰かと一緒にお酒を飲むような気持ちになれないということ。ただし昨夜《ゆうべ》は、その彼もダウンタウンまで足を運んで、テレビの脚本家とお酒を飲まなくちゃならなかった。ヴィレッジくんだりまでね。そこからいろんなことが始まったわけ。『僕がどこかで会って一杯やりたいと本当に望む相手は、死んだ人間か、あるいは決して会うことのできない人間に限られているんだ』と彼は言う。誰かと昼食を共にしたいという気持ちにさえ、まずなれないんだって。相手がひょっとしたらイエスその人か、仏陀《ぶっだ》か、慧能《えのう》だか、シャンカラだか、それくらいのレベルの人であるチャンスが大いにあると思えない限りね。まったくもう」。フラニーは唐突に小さな灰皿の中で煙草を消した。もう一方の手は灰皿を押さえられなかったので、その消し方はいくらか不器用なものになった。「あいつが他にどんなことを私に言ったと思う?」と彼女は言った。「私に向かってどんなことを豪語したと思う? ゆうべ彼は私にこう言った。昔、まだ七つか八つの頃、台所でイエスと一緒にジンジャーエールを飲んだことがあるって。ねえ、聴いている? 聴いているの?」

「聴いているよ。聴いているよ……スイートハート」

「彼が言うには——実際にこれがあいつの言った言葉通りなんだけど——自分が一人でキッチンのテーブルの前に座り、ソルト・クラッカーを食べながら、ディケンズの『ドンビー父子《おやこ》』を読んでいて、ふと気がつくとイエスがもうひとつの椅子《いす》に座っていて、よかったらジンジャーエールを小さなグラスに一杯もらえまいかって、言ったんだって。小さなグラスにですって、もう——それが実際に彼が口にしたこと。そんなことを言い立てながら、それでいて、私にあれこれ偉そうに忠告を与える資格が自分には完全にあると、あいつは思っているんだから！　それがなんといってもいちばん頭に来ること。もうそんなのうんざりだわ。ほんとにうんざり！　なんだか精神病院に放り込まれていて、他の患者が医者そっくりのかっこうをしてやってきて、偉そうに脈をとったりそんなことをされているみたいな感じ……まったくもうやってられない。あいつはとにかくしゃべって、しゃべって、しゃべりまくるの。そしてしゃべっていないときには、あの嫌ったらしい匂《にお》いのする葉巻を、家のそこらじゅうで吸いまくっているわけ。あの匂いがたまらなくて、もう転げまくってそのまま死んじゃいそう」

「葉巻は彼のバラストのようなものなんだよ、スイートハート。安定のためのただの重しだ。葉巻を手にしていないと、身体《からだ》が宙に浮かび上がってしまうんだ。そうなったら、僕らは二度ともうズーイくんを見られなくなってしまう」

グラス家には言葉の曲芸飛行に長《た》けた子供たちが何人もいる。しかしこの最後の台詞《せりふ》を電話口でさらりと口にできるほどその芸に熟達した人物は、ズーイの他にはまずいない。あるいはこの語り手としてはそのように断言してしまいたいところだ。フラニーもまた同じことを感じ取ったのだろう。いずれにせよ彼女は、自分が電話で話している相手がズーイであることをそのときはっと見抜いた。彼女はベッドの端からゆっくりと立ち上がった。「なるほどね、ズーイ」と彼女は言った。「よくわかった」

ほんの僅《わず》かの間を置いて返事があった。「なんて言ったのかな?」

「なるほどね、ズーイって言ったの」

「ズーイ、何のことだろう?……フラニー、聞いているのか?」

「聞いているわよ。もうよして、お願い。あなただっていうことはわかっているんだから」

「いったい何の話をしているんだ、スイートハート? なんのことだよ? ズーイって誰なんだ?」

「ズーイ・グラスのことよ」とフラニーは言った。「だからもうよしてちょうだい。面白くもなんともないんだから。私はね、辛うじてもとに戻りかけているところなんだから――」

「グラースって言った? ズーイ・グラース? たしかノルウェイ人だっけね、その男は? けっこう大柄で、金髪で、それで運動選手――」

「わかったわよ、ズーイ。お願いだからもうやめて。やりすぎないで。そういうのって面白くもなんともないんだから……ひとこと言わせてもらえば、私はとことんへこんでいるところなの。だからもし私に何か特別に言いたいことがあるのなら、さっさと言ってしまって。そしてあとは一人にしておいて。一人に」。この最後の強められた言葉は、まるでその強調が本来意図されたものではなかったかのように、変な向きに逸れて響いた。

電話の向こう側ではちょっと奇妙な沈黙があった。そしてまたその沈黙に対するフラニーの奇妙な反応があった。彼女はその沈黙に心を乱されたのだ。彼女はまた父親のベッドの端に腰を下ろした。「私は話の途中でこっちから電話を切るとか、そういうことはしない」と彼女は言った。「でもね――ああ、やれやれ――私は疲れちゃっているのよ、ズーイ。もうくたくたなの。嘘《うそ》じゃなく」。フラニーは耳を傾けた。しかしそれに対する応答はなかった。彼女は脚を組んだ。「あなたはずっと一日そうやっていられるかもしれないけど、私にはできないの」と彼女は言った。「私はただ話を承っているばっかり。そういうのって、あんまり愉快じゃないの。あなたは人間はみんな鉄でできているとか思っているみたいだけど」。彼女は耳を傾けた。彼女は更に何かを言おうとしたが、電話の向こうから相手の今は曇りない声が聞こえてきたので、それをやめた。

「人間がみんな鉄でできているなんて思っちゃいないよ」

そのへり下ったような単純なセンテンスは、継続された沈黙がそうしたであろうよりもむしろ強く、フラニーの心を乱した。彼女は磁器のシガレット・ボックスに素早く手を伸ばし、煙草を一本取ったが、火をつけようとはしなかった。「へえ、そう思ってたとしか見えないけど」と彼女は言った。そして受話器を耳にあて、じっと相手の言葉を待っていた。「だからつまり、何か特別な理由があってこの電話をかけてきたわけ?」。彼女はむしろ唐突にそう言った。「だから、私にこうして電話をかけてきたのは、何か特別な理由があってのことなの?」

「特別な理由なんてありゃしないさ。うん、特別な理由なんてない」

フラニーはそのまま待った。やがて相手はまたしゃべり出した。

「僕がこうして電話をしたのは、君に何らかのかたちでこう言いたかったからだよ。もし君がそう望むなら、イエスの祈りをずっと唱え続ければいいって。つまり、それはなんといっても君が決めることだ。君自身の問題だ。それはとびっきり素敵なお祈りだし、そうじゃないなんて言うやつはくたばっちまえばいい」

「そうよね」とフラニーは言った。とても落ち着きのない素振りで、彼女はマッチ箱に手を伸ばした。

「僕は何も、君にそのお祈りをやめさせようとしていたわけじゃないんだ。少なくとも、僕にはそういうつもりはなかったと思う。でもどうかな。自分の頭の中でいったい何が進行していたのか、そのへんは僕自身にだってよくわからないところだ。でもひとつだけよくわかっていることがある。それは、僕には導師のような指図がましい話し方をする資格はなかったということだ。僕は確かにそういう話し方をしていたようだ。うちの家族にはもう十分なだけの導師がいたからね。そこのところが僕を苛《さいな》んでいる。そいつが僕をちょっぴり怯《おび》えさせている」

フラニーはそれに続いた僅かな間を利用して、背中の位置を少し直した。まるで何らかの理由で良き姿勢が、あるいは少しでもましな姿勢が、今にも何かの助けになるかもしれないというように。

「そのことが僕をちょっぴり怯えさせる。でも身をすくませることはない。そこははっきりさせておこう。僕は身をすくませているわけじゃない。なぜかといえば、君はあることを見逃しているからだ。最初にそのお祈りを唱えようという強い欲求を感じたとき、いわば召命を受けたとき、君は導き手を求めて直ちに地の果てまで旅に出ようとはしなかった。君はうちに帰ってきた。そして、うちに帰ってきたばかりか、そこですっかり崩壊してしまった。おかげで、ある種の見方をすれば、君が手にできたのは当然ながら、僕らのとりあえず手持ちの、低次元の精神的助言に限られてしまうことになった。それ以上のものではなかった。でも少なくとも君にだってわかっているはずだ。この気違い屋敷《マッドハウス》の中には、隠された思惑なんてものは皆目ないってことを。僕らがたとえ何ものであるにせよ、僕らはとにかくぺてんを働くような人間じゃない」

　フラニーは唐突に、なんとか片手で煙草《たばこ》に火をつけようとした。マッチ箱を開けることには成功した。しかし不器用にマッチを擦ろうとしたおかげで、箱が床に落ちてしまった。彼女は身を屈《かが》めてそれを拾い上げた。こぼれたマッチはそのままにしておいた。

「ひとつだけ君に言おう、フラニー。僕にわかっていることをひとつ。それで頭に来たりはしてほしくない。別に悪いことじゃないんだから。でももし君が宗教的な生活を目指しているのであれば、君は今すぐ知るべきだ。この家族の中で今も続けられている宗教的行為を、君はひとつ残らず見逃してしまっているってことを。誰かが持ってきてくれた神聖なるチキンスープを飲もうというだけの分別さえ、君には具《そな》わっていない。この気違い屋敷《マッドハウス》の中で、ベッシーがみんなのところに持ち運んで行くチキンスープこそが、まさにそれなんだ。だから教えてくれ。僕に教えてくれ。たとえもし君が外に出て行って、この広い世界のどこかにいる導き手を――グルだか聖者だかそんなものを――探しあてて、その人物に正しいイエスの祈りの唱え方を教えてもらおうとしたって、それがいったい何の役に立つだろう？　だいたいもし君がそういう資格を持つ聖人に出会ったとして、君はどうやってその相手を本物だと見分けるんだ？　鼻の先に神聖なるチキンスープを差し出されても気がつかないっていうのに？　それについて君はどう思うんだ？」

　フラニーは今ではむしろ異様なくらい身体をまっすぐにして、そこに座っていた。

「僕はただ君に質問しているだけだよ。君を動揺させるつもりはない。なあ、動揺しちゃいないよね？」

　フラニーは返事をした。しかしその返事は明らかに声にはならなかった。

「何だって？　よく聞こえなかった」

「してないって言ったの。あなたは今どこから電話をかけているの？　今どこにいるのよ？」

「ああ、僕がどこにいるかなんて、どうでもいいことじゃないか。サウス・ダコタ州ピア（同州州都）だよ、まったくもう。フラニー、僕の話を聞いてくれ。悪いとは思うけど、腹を立てないで話を聞いてほしい。ほんのちょっとしたことを、あとひとつかふたつ聞いてくれれば、それでいい。それで話を終える。嘘じゃない。ただね、ひょっとして君は知っているかな、去年の夏にバディーと僕が車に乗って、君が出演した劇を見に行ったことを？　僕らが『西の国のプレイボーイ』に出ている君を見たことを知ってる？　ものすごく暑い夜だったな。なにしろ暑かった。でも君は僕らがそこにいたことを知っていた？」

答えが要求されているようだった。フラニーは立ち上がり、それからすぐにまた腰を下ろした。彼女は灰皿を少し脇《わき》にやった。まるでそれがすごく自分の邪魔になっているみたいに。「いいえ、知らなかった」と彼女は言った。「そんなことは誰もひとことも——いいえ、知らなかったわ」

「まあ、僕らはそこにいたんだよ。僕らはそこにいた。そして言わせてもらえば、君は素晴らしかった。僕が素晴らしいと言うとき、それは真剣に素晴らしいってことだ。君はそのひどい代物《しろもの》を一人で支えて持ち上げていた。観客の中にいた日焼けしたロブスターみたいな連中にだって、それはわかっていた。そして君は今や演劇を永遠に放棄したという話だ。いろんな話が僕の耳に伝わってくる。いろんな話が。そして僕は覚えている。そのシーズンが終わって、君が土産代わりに持ち帰った長広舌のことをね。なあ、君は僕をうんざりさせてくれるよ！　悪いとは思うけど、そう言わざるを得ない。君は演劇という場所が、傭兵《ようへい》やら虐殺者《ぎゃくさつしゃ》やらで満ちているという、驚くべき一大発見をした。僕の記憶するところによれば、君はすべての座席案内人が天才ではないからといって、がっかり落ち込んでいる人のようにも見えた。なあ、いったい君はどうしちゃったんだ？　君の脳味噌《のうみそ》はどこにあるんだ？　もし君が普通じゃない歪《ゆが》んだ教育を受けたのだとしたら、少なくともそいつを活用しなくちゃ。そいつを逆手にとって使わなくちゃ。君は今から終末の日に至るまで、イエスの祈りを延々と唱え続けることができる。しかしもし君が宗教的生活において唯一《ゆいいつ》の肝要なことは『脱離』なのだと認識しなかったら、君はただの一インチだって前には進めないはずだ。脱離だよ。そこにはただ脱離あるのみなんだ。欲望を持たないこと。『渇望を棚に上げてしまうこと』。そもそもこの欲望という代物こそが、もし君が本当のことを知りたければ教えてやるけど、俳優を俳優たらしめるものなんだ。君はどうして、既に自分が知っていることを、わざわざ僕の口から言わせたりするんだ？　どこかの地点で——もしそう思いたければどこかの前世で——君は俳優になりたいという渇望ばかりでなく、優れた俳優になりたいという渇望を抱いたんだ。君は今そいつに絡《から》めとられてしまっている。君は君自身の渇望のもたらした結果を単純にどこかに放り出して、あっさり退出することなんてできないんだ。原因と結果だよ。なあ、原因があり、結果があるんだ。君に今できるただひとつのことは、唯一の宗教的行為は、演技をすることだ。もし君がそう望むなら、神のために演技をすることだ。もし君がそう望むなら、神の俳優になることだ。それより美しいことがあるだろうか？　もし君がそう望むなら、少なくとも君はそれを試してみることができる。試してみることには何の不都合もない」。そこで僅かな間が置かれた。「しかし急いでとりかかった方がいいぜ。砂時計の砂は、君が向きを変えるごとにどんどんこぼれ落ちていく。嘘じゃない。このろくでもない現象界で、もし君がくしゃみをする時間でも見つけられたら、それはまさに幸運というものだ」。そこでまたもっと短い間が置かれた。「以前の僕はそのことで気をもんだものだ。でも今ではそれほど気をもんだりはしない。少なくとも僕はまだヨリック（訳注　『ハムレット』に出てくる先王の道化師）の頭蓋骨《ずがいこつ》に夢中になっている。少なくとも僕にはいつだって、ヨリックの頭蓋骨に夢中になるくらいの暇はある。僕が死んだときには、立派な頭蓋骨を持ちたいものだ。僕はヨリックくんみたいな麗《うるわ》しい頭蓋骨を渇望している。そして君だって僕と同じ気持ちのはずだ、フラニー・グラス。きっとそうだ。そうに決まっている。……ああ、まったく、なんでこんな話をしているんだろう？　君は僕と寸分変らないろくでもないフリークっぽい教育を受けている。もし君が今でもまだ、自分が死んだときにどんな頭蓋骨を持ちたいかわかってないとしたら、そしてそれを手に入れるためにどんなことをしなくてはならないかわかってないとしたら

――つまり俳優である限り君は演技することを要求されているんだという事実すら、君がいまだにわかっていないのだとしたら、こんなことを話しまくって、いったい何の意味があるっていうんだ？」

フラニーは今では空いた方の手のひらを頰にぎゅっと押しつけていた。まるで歯痛に苦しんでいる人のように。

「もうひとつだけ。これでもうおしまいだ。嘘じゃないよ。ただね、君はうちに帰ってきたとき、観客たちの愚劣さについてくそみそにこき下ろしていた。ろくでもない『場違いな』笑い声が五列目の席から聞こえたって。うん、そうだよ、確かにそのとおりだ。そういうのってほんとにめげちゃうよな。僕もそれに反論はしない。でもね、なおかつ、そいつは君の知ったことじゃないんだよ。君がとやかく言うべきことじゃないんだよ、フラニー。アーティストが関心を払わなくちゃならないのは、ただある種の完璧《かんぺき》を目指すことだ。そしてそれは他の誰でもない、自分自身にとっての完璧さなんだ。他人がどうこうなんて、そんなことを考える権限は君にはないんだ。本当にその通りなんだぜ。そんなことにいちいち頭を使うべきじゃない。僕の言いたいことはわかるかな？」

沈黙があった。二人ともその沈黙を、とくに苛立《いらだ》ちもなく、ばつの悪い思いもなく乗り切った。フラニーはまだ顔の片側にかなりの痛みを感じているような格好で、そこにずっと手を当て続けていた。しかし彼女の表情には不服の気配はまったく見受けられなかった。

　受話器の向こうからまた声が聞こえた。「僕は『ワイズ・チャイルド』に五回目くらいに出演したときのことを覚えている。ウォルトがギプスをはめられているとき、僕は何度か彼の代役を務めたことがあった。彼がギプスをはめられていたときのことを君は覚えている？　いずれにせよある夜、番組に出る前に、僕がひどくつむじを曲げたことがあった。僕がウェイカーと一緒にまさに玄関を出て行くとき、シーモアが僕に靴をきれいに磨くようにと言ったんだ。それで僕は頭にきちゃったわけだ。スタジオの観客なんてみんなうす馬鹿《ばか》だ。アナウンサーだってうす馬鹿だ。スポンサーもうす馬鹿だ。そんな連中のためにわざわざ靴を磨き立てるなんてごめんだねと、僕はシーモアに言った。それにだいたい連中の座っている位置からは僕の靴なんて見えやしないんだ。でもとにかく靴は磨くんだ、と彼は言った。おまえは太ったおばさん《ファット・レディー》のために靴を磨くんだよ、彼はそう言った。何のことを言っているのか、僕には理解できなかったけど、彼は例のあのきわめてシーモア的な表情を顔に浮かべていたので、僕は言われたとおりにした。太ったおばさんっていうのが何を意味するのか、彼は説明してくれなかったけど、それ以来番組に出るたびに、とにかく太ったおばさんのためにせっせと靴を磨いた。君と二人であの番組に出ているあいだ、ずっとそうしていた。君は覚えているかな？　磨き忘れたことはたぶん二回くらいしかないと思う。そしてその太ったおばさんの姿が、僕の頭の中にものすごくくっきりと、鮮やかに形作られた。そのおばさんはね、一日中ポーチに座って、蠅《はえ》を叩《たた》きながら、朝から晩まで馬鹿でかい音でラジオをつけっぱなしにしているんだ。その暑さたるやすさまじいもので、彼女はたぶん癌《がん》を抱えている。そして——どう言えばいいんだろう。とにかく、シーモアがどうしてあの番組に出る前に僕に靴を磨かせたのか、はっきりとわかった気がした。それは筋のとおったことだった」

　フラニーは立ち上がっていた。彼女は顔に当てていた手を離し、両手で受話器を持った。「彼は私にもそう言った」と彼女は電話に向かって言った。「太ったおばさんのために、何か愉快なことを言うんだよと、シーモアは一度言ったことがある」。彼女は片手を受話器から離し、少しのあいだ頭のてっぺんに置いた。それからまた両手で受話器を握った。「彼女がポーチに座っている姿を、私は思い浮かべたことはなかった。ただものすごく——なんていうか——ものすごく太い足を思い浮かべた。静脈が走りまくっているやつ。そしてすさまじい籐椅子《とういす》に腰掛けているの。でも彼女はやはり癌を抱えていて、そしてやはり一日中ラジオをすごい音でつけっぱなしにしているの！　私のもおんなじだった！」

「うん、うん、うん。わかった。ひとこと僕に言わせてくれないか……ねえ、聞いている？」

　フラニーは極端なまでに集中した顔で肯《うなず》いた。

「俳優がどこで演技をしようが、そんなことは僕にはどうでもいい。それが夏期公演であろうが、ラジオであろうが、テレビであろうが、君が想像できるかぎり最高にファッショナブルで、最高に栄養がいきわたってて、最高にゴージャスに日焼けした観客で埋まったブロードウェイの劇場であろうが。でも僕は君にひとつとんでもない秘密を打ち明けよう――ねえ、僕の話を聞いているかい？　そこにはね、シーモアの言う太ったおばさんじゃない人間なんて、誰ひとりいないんだよ。そこにはあのタッパー教授さえ含まれているんだ。彼と同類のお仲間もひとまとめにしてね。シーモアの言うところの太ったおばさんじゃない人間なんて、どこにもいやしないんだよ。君にはそれがわからないのか？　その秘密が君にはまだわかっていないのかい？　そして君にはまだわかっていないのかい――なあ、よく聞いてくれよ――その太ったおばさんというのが実は誰なのか、君にはまだわからないのか？　ああ、なんていうことだ、まったく。それはキリストその人なんだよ。まさにキリストその人なんだ。ああ、まったく」

たぶん喜びに溢《あふ》れてのことだろう。フラニーにできるのは、ただ両手でもって受話器を握りしめることだけだった。

たっぷり三十秒ばかり、それ以上の言葉は発せられなかった。何ひとつ語られなかった。それから「僕はもうこれ以上話せないよ、ほんとに」。電話が切れるかしゃんという音が聞こえた。

フラニーは微《かす》かに息を吸い込んだ。でも受話器はまだ耳に当てられていた。電話の回線がしっかり切れたあとは、当然ながらダイアル・トーンしか聞こえない。彼女はその音を、常軌を逸して美しいものとして聴いているようだった。まるでそれが、原初の沈黙そのものの代役を務めるに何より相応《ふさわ》しい音であるかのように。しかし彼女はまた、それを聞くことをいつ切り上げるべきかわかっているようだった。この世界にあるなけなしの、あるいは無数の智慧《ちえ》が残らず一挙に彼女のものになったかのように。受話器を戻したとき、次に何をするべきかをフラニーは心得ているようだった。彼女は煙草《たばこ》道具一式を片付け、自分が腰掛けていたベッドの、コットンのベッドスプレッドを引っ張ってはがし、スリッパを脱いでベッドに潜り込んだ。夢のない深い眠りに落ちる前の数分間、彼女は静かにそこに身を横たえ、天井に向かってそっと微笑《ほほえ》みかけていた。

本書は、新潮文庫版として新たに訳し下されたものである。

フラニーとズーイ

新潮文庫　サ－5－2

Published 2014 in Japan
by Shinchosha Company

平成二十六年三月一日発行

訳者　村《むら》上《かみ》春《はる》樹《き》
発行者　佐藤隆信
発行所　株式会社 新潮社

郵便番号　一六二―八七一一
東京都新宿区矢来町七一
電話　編集部(〇三)三二六六―五四四〇
読者係(〇三)三二六六―五一一一
http://www.shinchosha.co.jp

価格はカバーに表示してあります。

乱丁・落丁本は、ご面倒ですが小社読者係宛ご送付ください。送料小社負担にてお取替えいたします。

印刷・錦明印刷株式会社　製本・錦明印刷株式会社

ISBN978-4-10-205704-9　C0197